# Chestnut Hill

## Un grand pas

## L'auteur

**Lauren Brooke** a grandi dans un ranch en Virginie et vit à présent en Angleterre, dans le Leicestershire. Elle a su monter à cheval avant même de marcher. Dès l'âge de six ans, elle a régulièrement participé à des concours équestres. Elle fait tous les jours de longues balades à cheval, accompagnée par son mari, vétérinaire spécialiste des chevaux.

## Dans la même série :

*1. La rentrée*

## Du même auteur.:

La série *Heartland*

**Vous avez aimé**

*Chestnut Hill*

**Écrivez-nous**
**pour nous faire partager votre enthousiasme :**
**Pocket Jeunesse, 12 avenue d'Italie, 75013 Paris.**

Par l'auteur de *Heartland*

Lauren Brooke

# Un grand pas

*Traduit de l'anglais par Christine Bouchareine*

POCKET JEUNESSE

Titre original :
Chestnut Hill – *Making Strides*

La série « Chestnut Hill » a été créée par
Working Partners Ltd., Londres.



Avec des remerciements tout particuliers à
Elizabeth Faith

Loi n° 49 956 du 16 juillet 1949 sur les publications destinées
à la jeunesse : avril 2009.



ISBN 978-2-266-15988-3

# 1

Une sonnerie stridente retentit dans le couloir. Laurie O'Neil poussa un grognement. Le réveil sur sa table de nuit indiquait huit heures une.

— Je rêve ! C'est quoi, ce délire ? On est samedi !

— On devrait aller se plaindre à Mme Herson ! enchérit Mélanie Hernandez, qui partageait la chambre avec elle et Alexandra Cooper.

Laurie se renfonça sous sa couette.

— Vas-y, tu es le plus près de la porte !

Elle reçut aussitôt un oreiller sur la tête et éclata de rire. Elle adorait les week-ends à Chestnut Hill. Comme elles n'avaient pas cours, non seulement elle avait le droit de faire la grasse matinée, mais elle pouvait passer autant de temps qu'elle voulait aux écuries ou avec ses amies.

« S'il fait beau, on aura peut-être la permission d'aller se balader à cheval », songea-t-elle. Soudain elle écarquilla les yeux, affolée. « Oh, non ! Comment ai-je pu oublier quel jour on était ? »

Quelqu'un frappa d'un coup sec. La porte s'ouvrit à toute volée. Mme Herson, la surveillante des élèves de première année, entra en trombe.

— Vous n'avez pas entendu la première sonnerie, il y a une demi-heure ?

— On dormait, madame, tenta d'expliquer Mélanie.

En se redressant, elles aperçurent Alexandra, déjà habillée, qui leur tournait le dos, assise à son bureau, des écouteurs sur les oreilles, plongée dans un livre.

— Vous avez cinq minutes pour descendre au petit déjeuner ! continua Mme Herson en se dirigeant vers Alexandra.

Elle lui tapota l'épaule.

Alex leva les yeux et éteignit aussitôt son lecteur.

— On s'active ! Vous avez chacune quelque chose à faire pour le week-end des anciennes ! lança la surveillante.

Sans attendre leur réponse, elle tourna les talons et claqua la porte.

Mélanie et Laurie échangèrent un regard.

— Pfiou ! Quelle énergie ! murmura Mélanie.

C'était la première fois que Laurie voyait leur surveillante aussi excitée. Elle se leva d'un bond et enfila en vitesse un jean et un tee-shirt. Elle jeta un regard par la fenêtre pendant qu'elle s'attachait les cheveux. Leur chambre donnait directement sur les paddocks. Seuls quelques chevaux broutaient sous le soleil d'automne. Les autres attendaient dans leurs stalles d'être pansés pour la présentation de l'après-midi.

Laurie sentit un frisson d'excitation la parcourir, elle aussi. La semaine précédente, elle avait réussi à se qualifier dans l'équipe d'obstacles junior. Depuis, elle s'entraînait sans relâche avec ses quatre coéquipières pour cette représentation de bienvenue. Elle appuya son front contre la vitre. Dire qu'elle avait failli rater la sélection ! Se sentant rejetée par les autres élèves, elle s'apprêtait même à quitter Chestnut Hill, mais Margaux Walsh l'avait convaincue de rester.

Laurie sourit en repensant à la façon dont Margaux, qui avait, elle, décroché le poste de remplaçante de l'équipe, s'était envolée dans la dernière partie du parcours avec Morello. Ils formaient un couple impressionnant, et elle était sûre qu'ils se distingueraient aujourd'hui. Cette démonstration devant les anciennes élèves leur fournirait à toutes l'occasion de voir comment l'équipe fonctionnait sous la pression. C'était important : dans trois semaines à peine aurait lieu leur première rencontre interscolaire !

Mélanie repoussa ses draps et étira paresseusement les bras au-dessus de sa tête.

— Dis, Alex, tu n'aurais pas pu nous réveiller ? ronchonna-t-elle en extirpant un pantalon du tas de vêtements jetés au pied de son lit.

Alexandra referma son livre et se retourna :

— Si tu veux savoir, moi non plus, je n'ai pas entendu la cloche. J'avais mis mes écouteurs pour couvrir vos ronflements.

— N'importe quoi ! soupira Mélanie.

Laurie rit intérieurement : ses deux camarades de chambre ne se comprendraient jamais ! Alexandra était une bosseuse, alors que Mélanie ne pensait qu'à s'amuser.

— Sur quoi tu travaillais, Alex ? demanda-t-elle.

— Je lisais Virginia Wolf, pour l'exposé sur les femmes écrivains. C'était tellement captivant que je n'ai pas vu le temps passer.

— Eh bien, même les écrivains ont faim ! lui rappela Laurie. Si on descendait avant qu'il ne reste plus de croissants ?

# 2

Dès que Laurie poussa les portes de la cafétéria, elle fut assaillie par une délicieuse odeur de pain frais. Derrière les grandes baies vitrées, elle aperçut la pelouse et l'aire de pique-nique dont la tranquillité contrastait avec l'effervescence qui régnait à l'intérieur.

Margaux l'appela à grands gestes de l'autre bout de la salle. Après leur mésentente du début, Laurie s'était beaucoup rapprochée d'elle. Elle aimait bien Pauline aussi, malgré son accent anglais qui la faisait paraître, à tort, un peu snob.

— Hé, les filles, vous feriez mieux de vous servir avant qu'ils ferment les cuisines ! lança Margaux. Surtout que le menu se limite à des céréales !

Laurie baissa les yeux vers le plateau de son amie, catastrophée. Le week-end, elles avaient toujours droit à des petits déjeuners fabuleux. Or Margaux, qui s'empiffrait d'habitude de croissants et de crêpes, n'avait devant elle qu'un bol où flottaient quelques grains ramollis.

— Ils appellent ça pompeusement du riz soufflé au caramel, ajouta-t-elle.

— Tu veux rire ! ronchonna Alexandra.

— Non. Le personnel des cuisines prépare le buffet des anciennes. Et on n'est même pas invitées ! soupira Margaux. Heureusement que ça n'arrive qu'une fois par an, sinon y aurait de quoi se révolter !

« Une chance qu'on ait encore accès à la machine à café ! » songea Laurie en regardant sa tasse.

Mélanie attrapa le carnet d'Alex :

— Je vais lancer une pétition !

— Laisse tomber ! fit Laurie. Allons plutôt goûter ces délicieuses céréales.

Le temps d'aller remplir leur bol et de revenir, la salle s'était déjà vidée. Toutes les élèves devaient participer aux préparatifs. En plus de la démonstration de la section d'équitation, il y aurait des représentations du groupe de théâtre, de la chorale et de l'orchestre. Une exposition de peinture était également organisée dans la galerie du campus, ainsi qu'une visite guidée, assurée par les élèves.

— J'espère qu'on nous traitera aussi royalement quand notre tour viendra, dans quelques années, marmonna Mélanie d'un ton faussement grognon.

— En parlant de traitement royal, je vous signale que Sa Majesté Audrey Harrison fonce droit sur nous, les avertit Margaux. On lui fait une place ?

Pauline se leva :

— Ça tombe bien, je m'en allais.

Audrey, vêtue d'un pull en cachemire bleu pâle et d'une jupe brodée assortie à ses bottes en daim bleu nuit, traversait la cafétéria accompagnée de Patty qui la suivait comme un toutou. Jessica, une autre de ses amies, s'arrêta devant la machine à café.

Laurie serra les dents : cette pimbêche d'Audrey la mettait mal à l'aise et, en plus, elle le savait.

— Alors ? lança cette dernière. Fin prêtes pour la parade ? J'espère que vos chemises sont repassées, et vos bottes bien cirées !

Laurie se tortilla sur sa chaise. Le bruit courait que la tenue d'équitation d'Audrey sortait de chez un grand couturier, alors que la sienne venait d'un supermarché. Heureusement, les autres filles de l'équipe se fichaient bien de leur apparence. Elles tenaient surtout à prouver aux anciennes élèves que le niveau de l'école n'avait pas baissé, faisant ainsi honneur à la nouvelle instructrice et responsable du centre équestre, Annie Carmichael.

— Tes sœurs vont venir ? s'enquit Alexandra, voyant que ni Laurie ni Margaux ne répondaient.

— Tu penses ! Rachel était capitaine de l'équipe senior l'an dernier. Et Melissa n'aurait manqué ça pour rien au monde ! Elles sont toutes les deux des championnes, alors faudra assurer, les filles !

Laurie et Margaux levèrent les yeux au ciel. Audrey ne manquait jamais une occasion de leur rappeler que toutes les femmes de sa famille avaient fait leurs études dans cette école d'élite et que son père sortait de la non moins prestigieuse institution Saint Christophers, autre fleuron local.

— Vous avez vérifié votre équipement ? insista Audrey en fronçant les sourcils.

— Oui, chef ! Nos résilles sont prêtes ! répondit Margaux, pince-sans-rire. Et nous avons tellement craché sur nos bottes que j'en ai la bouche toute desséchée.

— Tu es vraiment répugnante, Margaux Walsh ! soupira Audrey alors que les autres éclataient de rire.

Jessica se tourna vers Margaux en rejetant ses longues nattes noires dans son dos :

— Ne me dis pas que tu stresses !

— Et comment ! J'ai rêvé cette nuit que j'étais la seule à ne pas réaliser un sans-faute. Morello refusait le dernier obstacle et m'éjectait de la selle. Pourtant, en tant que cavalière de réserve, je dois juste exécuter le tour de piste. Je n'imagine pas l'angoisse si je devais participer à la démonstration de dressage avec vous !

Laurie sourit. Elle savait combien Margaux aurait aimé prendre part à ce quadrille, quitte à mourir de trac. Elle-même adorait cet exercice qui exigeait des quatre chevaux et de leurs cavalières une synchronisation parfaite. En revanche, le saut d'obstacles lui donnait des cauchemars, à elle aussi.

— Je n'ai pas bien dormi, moi non plus, avoua-t-elle. J'ai rêvé que Hardy ne voulait plus avancer et qu'il renversait les barrières les unes après les autres.

— Ça ne risque pas d'arriver ! la rassura Margaux.

Laurie lui sourit, touchée par son soutien.

— Vous n'avez pas oublié qu'on doit porter notre culotte d'équitation marron, cet après-midi ? reprit Audrey d'un air hautain.

— C'est vraiment gentil de nous le rappeler, ironisa Margaux, mais nous avons eu la liste de tout ce qu'il nous faut, tu sais ! Alors, arrête de nous harceler. Ce n'est pas parce que tu as le trac que tu dois nous le refiler !

— N'importe quoi ! Comme vous n'avez pas l'habitude de monter à ce niveau, je voulais juste m'assurer que vous n'aviez rien oublié. C'est bon, la prochaine fois, je vous laisserai vous débrouiller toutes seules.

— Oh non ! gémit Margaux. Comment on va s'en sortir sans toi ?

Laurie remarqua que les yeux verts de son amie avaient viré au noisette, signe qu'elle était sur le point d'exploser. Mais Audrey mit fin à la discussion d'un geste désinvolte, et les deux filles firent mine de s'ignorer. Laurie se demandait encore comment elles pouvaient cohabiter. Elles s'étaient mal entendues dès le début, et Margaux n'avait pas pardonné à Audrey le mépris dont elle avait fait preuve envers Laurie en apprenant qu'elle était la fille d'un petit commerçant.

Laurie fut tirée de ses pensées par Mme Herson, qui se précipitait vers leur table :

— Vous feriez bien de vous presser, mesdemoiselles ! Il ne nous reste plus qu'une heure avant l'arrivée des anciennes.

Les filles finirent leurs tasses d'une traite et se levèrent.

Laurie se tourna vers Margaux.

— Tu viens ? Nous avons rendez-vous avec deux beaux chevaux.

— J'espère que le mien ne s'est pas roulé dans le fumier comme hier.

— Pas de souci ! Nous avons du temps devant nous, et des résilles de rechange pour nos cheveux. Que veux-tu qu'il nous arrive ?

# 3

Laurie sentit son moral remonter dès qu'elles se trouvèrent devant l'écurie. Elle adorait Chestnut Hill, avec ses bâtiments traditionnels en pierre et sa grande écurie en bois, flanquée de deux carrières, intérieure et extérieure.

« J'aurais tant aimé que maman connaisse cet endroit ! » songea-t-elle. Sa mère, morte deux ans auparavant, lui manquait terriblement. Un petit sourire triste se dessina sur ses lèvres au souvenir de sa première rentrée des classes. Elle avait raté son bus, et c'est en robe de chambre que sa mère avait dû la conduire à l'école. Et, lorsque la directrice s'était approchée de la voiture pour la saluer, elle n'avait même pas cillé. « J'aurais adoré voir la tête d'Audrey si ça nous était arrivé le jour de la rentrée à Chestnut Hill », pensa-t-elle en s'engouffrant dans l'écurie à la suite de ses amies.

Bluegrass, le magnifique rouan d'Audrey, dressa les oreilles et poussa un petit hennissement en la voyant arriver. Laurie lui glissait souvent une sucrerie quand elle venait voir Hardy.

— Désolée, mon grand, mais je n'ai pas le temps, ce matin. Ne t'inquiète pas, Audrey ne va pas tarder.

Claire Houlder, une élève de troisième année, émergea de la sellerie :

— Personne n'a vu la selle de Snap ?

Margaux secoua la tête :

— Non, et si elle n'est pas là, je ne vois pas où elle peut être.

— Camille a déjà harnaché Snapdragon, lui rappela Julie, l'une des deux jeunes filles employées à l'écurie à plein temps. Elle fait une démonstration de dressage avant toi.

Claire plaqua ses mains sur ses hanches, offusquée :

— Quoi ?

— Elle monte avant toi, répéta Mélanie. Tu n'as pas regardé le planning ?

— Comme si j'avais que ça à faire ! bougonna Claire sans voir Annie Carmichael qui arrivait derrière elle.

— C'est bien dommage ! rétorqua cette dernière.

Claire se retourna d'un bond, les joues écarlates.

— Car si tu avais pris la peine de le consulter, continua l'instructrice en tapotant son bloc-notes, tu aurais vu que, pour celles qui partagent un poney, la première qui le monte doit le seller. La seconde devra effectuer des réglages avant son passage. Et ce sont Julie et Elsa qui se chargeront en principe du pansage, car, ce matin, on compte sur vous pour les préparatifs au pensionnat.

— Oui, madame, répondit Claire d'une petite voix.

## Un grand pas

Laurie entra dans la stalle de Hardy, qui était encore couché sur la paille. Il leva vers elle un regard endormi.

— Debout, paresseux !

Elle éclata de rire en le regardant se redresser et s'ébrouer. Elle détacha sa couverture et constata avec soulagement qu'il était propre. Un brossage rapide, un coup d'éponge, et il serait fin prêt.

Elle démêlait les crins de sa queue lorsqu'elle entendit bougonner dans le box voisin. Curieuse, elle se mit sur la pointe des pieds pour regarder par-dessus la cloison.

— Y a un problème ?

Margaux et Mélanie considéraient d'un air consterné le flanc de Morello, un poney paint, à la robe marron et blanc.

— Cette tache est indélébile ! se lamenta Margaux en montrant une auréole verte qui s'étalait sur une partie blanche.

— C'est l'abominable tache des neiges, déclara Mélanie, sans réussir à dérider son amie.

— Et nous n'avons pas encore tressé sa crinière ! gémit Margaux, de plus en plus affolée.

— Calme-toi, tu vas finir par l'effrayer ! l'avertit Laurie en constatant que Morello commençait à s'agiter.

Margaux respira profondément et passa la main sur l'encolure du cheval.

— Désolée !... Ce n'est rien, je suis juste nerveuse.

Laurie baissa la tête pour cacher son sourire : Margaux avait le don de tout dramatiser.

Mme Carmichael surgit devant le box de Morello.

— Je ne tolérerai aucun énervement dans l'écurie. Alors, si tu as l'intention de craquer, remonte dans ta chambre ! rabroua-t-elle sa nièce.

— Mais regarde-le ! protesta celle-ci en montrant le ventre du cheval. Il me faudrait un Kärcher pour enlever une tache pareille !

— Pas d'affolement ! Les employées sont tout à fait capables de préparer les chevaux pour cet après-midi. Du moins, si on les laisse travailler en paix... Tout ce qu'on vous demande, les filles, c'est de vérifier si les poneys sont sellés à temps.

— Mais...

— Il n'y a pas de mais. Filez ! On doit vous chercher au pensionnat. Ne revenez pas avant une heure.

— Ne t'inquiète pas, Margaux, ta tante s'occupe de tout, déclara Mélanie alors que les trois filles quittaient docilement l'écurie. Je parie qu'elle va nous préparer les poneys comme pour les jeux Olympiques.

Margaux poussa un gros soupir :

— Tu as raison. Je panique pour rien. Le problème, c'est que Morello a toujours du mal avec le premier obstacle des combinaisons. Et il déteste la barrière après le virage. C'est vrai, quoi ! Et si je suis la seule à ne pas réussir un sans-faute ?

— Au moins tu n'as pas de souci avec tes transitions galop. Moi, ça fait trois reprises quadrilles que Hardy part à faux. J'entends déjà les réflexions : « Mais bon sang ! Pourquoi a-t-on accordé une bourse à cette demeurée ? »

Laurie s'était vu octroyer une bourse de six ans d'études à Chestnut Hill après avoir été repérée par Diane Rockwell, une ancienne élève de l'école qui avait concouru en équipe nationale. La jeune fille avait eu du mal à croire à sa chance, et aujourd'hui elle doutait carrément de la mériter.

— Ça suffit ! les coupa Mélanie. Vous allez finir par me rendre nerveuse, moi aussi, alors que je ne monte même pas !

— D'accord, je promets de ne plus parler de mon problème de pied de départ au galop, déclara solennellement Laurie. Mais je trouve que Hardy a tendance à sauter à plat...

Elle éclata de rire tandis que Mélanie la secouait affectueusement par les épaules.

Dès onze heures et demie, le pensionnat grouillait de monde.

— J'ai déjà dû servir au moins cinq cents tasses de thé à la menthe, murmura Laurie en contemplant le buffet où traînaient toutes sortes d'amuse-gueules.

Margaux lui tendit un plat de mini-sandwichs au concombre. Laurie fit non de la tête :

— Je ne peux rien avaler. J'ai l'estomac noué.

— Tu as vu les sœurs d'Audrey ? demanda Margaux en l'aidant à empiler les tasses. Tiens, où est-elle, d'ailleurs ? Tu crois qu'elle aurait échappé à la corvée de service sous prétexte qu'elle a des invitées de marque ?

— Je ne l'ai pas croisée depuis le petit déjeuner, et je dois dire que ça ne m'a pas manqué. Je n'ai aucune envie de l'entendre m'énumérer les trente-six façons dont je vais me planter cet après-midi !

Y Lan, qui partageait la chambre de Patty et Jessica, les rejoignit, chargée d'un plateau de verres sales.

— Vous connaissez la dernière ? leur lança-t-elle. Nous devons déjeuner dans nos dortoirs ! Les troisièmes années ont réquisitionné les tables de l'aire de pique-nique, les anciennes seront installées dans la salle à manger, et y a plus de place pour nous.

— Tu plaisantes ! lâcha Margaux, indignée.

— Eh bien, non... La consolation, c'est que, dans quelques années, ce sera notre tour de regarder les autres manger sur leurs genoux !

Elles furent interrompues par deux anciennes élèves qui s'approchèrent du comptoir et tendirent leurs tasses à Laurie tout en poursuivant leur conversation.

— À votre avis, elles sont quoi ? chuchota Laurie alors qu'elles s'éloignaient en faisant claquer leurs talons aiguille. Avocates ?

— Banquières, décréta Y Lan. On dirait ma mère ! Elle est directrice financière d'une grande compagnie d'assurances.

Margaux secoua la tête :

— Trop simple ! Je les vois plutôt en détectives privés, avec un énorme budget fringues pour pouvoir se mêler à la haute société.

Laurie fit une grimace en consultant sa montre :

— Allez, on se bouge ! Il est temps de se préparer.

Elle espérait qu'elle se sentirait mieux une fois en tenue d'équitation... Ce n'était pas seulement sa réputation qui était en jeu. Elle savait que la nomination d'Annie Carmichael à la direction de la section d'équitation avait été controversée. Tout le monde regrettait Élisabeth Mitchell, qui avait permis à l'équipe de Chestnut Hill de remporter un nombre incalculable de récompenses et de trophées. Venant d'une écurie moins renommée, située au fin fond du Kentucky, Annie Carmichael n'était pas connue sur le circuit de la compétition de la côte Est. Et les anciennes cavalières comme Rachel, la sœur d'Audrey, avaient sûrement hâte de voir comment elle s'en sortait. Il incombait donc à l'équipe junior de prouver qu'elle était à la hauteur.

# 4

— Désolée, les filles, mais vous devrez vous débrouiller toutes seules pour le déjeuner ! Nous sommes débordés à la cafétéria, déclara Mme Herson en posant une grosse boîte sur la table du foyer.

Les deux employées qui l'accompagnaient déposèrent un panier de fruits et une glacière remplie de boissons avant de repartir derrière elle.

Laurie attendit que le défilé des élèves cesse pour aller se servir.

— C'est tout ce que tu prends ? demanda Margaux.

Laurie regarda son petit sandwich au fromage :

— Le trac me coupe l'appétit...

L'assiette de Margaux débordait, elle, de sandwichs, de chips et de fruits.

— Je n'ai pas cette chance, lâcha la jeune fille. Moi, ça me donne une faim de cheval !

— À propos de cheval, Mme Carmichael nous attend dans un quart d'heure, annonça Laurie.

— Oh, non !

Margaux engouffra une poignée de chips et se dirigea vers le coin où Alexandra, Y Lan, Mélanie, Pauline et Jessica s'étaient assises, leur assiette sur les genoux.

— Que je suis contente de ne rien avoir à faire pour le théâtre ! jubilait Jessica.

Elle se tourna vers Margaux et Laurie :

— C'est bientôt votre tour ?

— Dans une heure, répondit Margaux.

— On viendra vous encourager, promit Alexandra.

— C'est sympa ! fit Laurie avec un sourire crispé.

Elle avait vraiment intérêt à assurer si, en plus des anciennes élèves, il y avait toutes les filles de son dortoir.

— Je n'arriverai jamais à avaler ça, ajouta-t-elle en contemplant son sandwich. J'y vais.

Mélanie se leva d'un bond et fit signe à Pauline :

— On t'accompagne.

Margaux les suivit en fourrant deux pommes dans ses poches.

— Bonne chance ! leur lancèrent leurs amies. On viendra vous applaudir !

Mélanie et Margaux gagnèrent la stalle de Morello pendant que Laurie et Pauline se dirigeaient vers celle de Hardy. On avait attaché le hongre alezan au fond de son box pour l'empêcher de se salir. Il balança la tête et hennit doucement en reconnaissant Laurie.

— Que tu es beau ! lui dit-elle en le grattant derrière les oreilles.

Au même moment, elle entendit un seau tomber avec fracas et posa aussitôt sa main à plat sur les naseaux de Hardy pour le rassurer.

— Désolée ! lança Peggy Rivers depuis la stalle voisine.

Laurie n'enleva sa main que lorsque le poney se fut calmé.

— Je vais voir si elles ont réussi à enlever la tache de Morello, dit-elle à Pauline.

— Ah, oui, l'abominable tache des neiges !

Laurie éclata de rire.

— Je cours chercher ta selle, proposa Pauline alors qu'elles sortaient du box.

Lorsque Laurie arriva devant la stalle de Morello, Aude Phillips, la monitrice d'obstacles, était accroupie contre le flanc du poney. Elle se redressa et, d'un large geste, présenta le résultat de ses efforts en brandissant une craie de couturière :

— Et voilà le travail !

Le ventre de l'animal était d'un blanc digne d'une publicité de lessive.

— C'est fantastique ! s'écria Margaux. Qui aurait cru que ce petit bâton pouvait réaliser un tel miracle ?

— C'est l'élément indispensable quand on a un paint.

— Surtout pas un mot à Audrey, sinon elle te demandera de le blanchir complètement, gloussa Laurie.

En effet, si Margaux adorait la robe contrastée de Morello, Audrey considérait les paints comme des poneys de deuxième classe.

Aude ramassa son bloc-notes en ignorant cette remarque :

— Bon, je peux te laisser le préparer, Margaux ? Avec tous ces doubles, j'espère que chacune montera sur le bon cheval au bon moment.

— Ne me dites pas qu'on manque de poneys, plaisanta Margaux.

— Eh bien, si, figure-toi ! Le programme d'équitation est tellement demandé cette année que Mme Carmichael envisage d'en acheter d'autres.

Laurie échangea un regard ravi avec Margaux : encore plus de chevaux à Chestnut Hill ? Le rêve !

Mme Carmichael s'arrêta au même moment devant le box de Morello et scruta les filles qui s'affairaient dans l'écurie :

— Personne n'aurait vu Audrey ?

— Elle arrive, mentit Laurie.

Elle fit un clin d'œil à Margaux tandis que Mme Carmichael et la monitrice s'éloignaient :

— Je parie qu'Audrey est partie installer ses sœurs aux meilleures places !

— Tant pis pour elle si elle arrive en retard ! rétorqua Margaux en prenant la brosse dans le seau pour la passer sur Morello.

— Bravo, Margaux ! Bel esprit d'équipe !

Elles sursautèrent : Audrey les toisait du seuil, impeccable dans son superbe pantalon marron et ses bottes de cuir bien cirées. D'un geste dédaigneux, elle retira un brin de paille de sa veste noire à la coupe parfaite.

Laurie remarqua cependant qu'elle était pâle sous sa bombe, et que ses doigts tremblaient.

— Je peux t'aider à seller Bluegrass, proposa-t-elle. Pauline finira de préparer Hardy.

— J'ai déjà demandé à Patty de s'en occuper. Si tu ne sais pas quoi faire, tu devrais en profiter pour t'entraîner à partir du bon pied !

Laurie serra les dents tandis qu'Audrey tournait les talons.

— Allez, Laurie, ne t'occupe pas de cette punaise, dit Margaux en remettant la brosse dans le seau. Elle sera verte de jalousie quand tu l'éclipseras à la démonstration.

Laurie sourit, dubitative : elle était moins sûre de ses capacités que son amie...

Quand elle conduisit enfin Hardy dehors, elle dut reconnaître qu'il était magnifique. L'alezan n'avait pas l'allure aussi noble que Bluegrass, ni la robe spectaculaire de Morello, mais il cambrait fièrement l'encolure et dressait les oreilles comme les chevaux des tableaux de chasse du XIXe siècle.

Ses coéquipières l'attendaient sur leurs montures, près de l'entrée.

— Tu veux que je le tienne ? proposa Margaux, qui ne montait pas encore.

Laurie lui tendit les rênes et se mit en selle. Dès qu'elle eut chaussé les étriers et qu'elle se fut redressée, elle sentit son cœur se gonfler d'orgueil. Elle n'arrivait pas à croire qu'elle allait représenter Chestnut Hill ! Quand elle l'avait annoncé à son père par email, il lui avait répondu qu'il était très fier d'elle, et lui avait assuré que sa mère l'aurait été, elle aussi... Laurie regarda la couronne de l'institution brodée sur la veste qu'on lui avait prêtée et la caressa doucement de sa main gantée, comme un talisman. Vivement qu'elle ait la sienne !

— Allons prendre nos places, lança Pauline avec un grand sourire.

— Bonne chance ! ajouta Mélanie.

Margaux se recula pour admirer son amie :

— Tu es magnifique !

— Merci, répondit Laurie, très touchée.

— Je parlais à Hardy, la taquina Margaux avant de courir rejoindre les autres.

Laurie conduisit son poney vers l'entrée de la piste, où Mme Carmichael et les autres cavalières les attendaient. Bluegrass semblait bizarrement nerveux. Il rongeait son frein et donnait de grands coups de queue.

— Du calme ! grommela Audrey quand le rouan fit un écart sur le côté.

— Les poneys ressentent votre nervosité, c'est normal, déclara Annie Carmichael. Ne vous inquiétez pas, nous avons répété ce numéro de nombreuses fois : vous savez exactement où vous devez aller. Vos chevaux suivront !

Olivia Buckley, qui montait Shamrock, une jument Connemara bleu gris, esquissa un sourire timide :

— Vous pouvez me rappeler dans quel sens nous devons tourner avec Éléonore après avoir passé les portes ?

— À droite. Tout ira bien ! C'est comme à la reprise. Vous êtes superbes, et vos poneys aussi. Imaginez qu'il s'agit d'un entraînement de routine, avec juste un peu de panache en plus, d'accord ?

Éléonore Dixon raccourcit les rênes de Skylark et sourit aux autres :

— C'est parti !

Elle fit avancer son cheval jusqu'aux portes. Olivia amena Shamrock à son côté.

Laurie rapprocha Hardy de Bluegrass. Elle adressa à Audrey un signe d'encouragement, puis elle laissa glisser sa main le long de l'épaule du poney et le massa du bout des doigts pour le détendre. Elle brûlait d'impatience de s'engager sur la piste. Le grand moment était enfin arrivé ! Elle faisait son entrée officielle dans la prestigieuse section d'équitation de Chestnut Hill !

# 5

Éléonore se tourna vers Laurie et Audrey :

— Prêtes ?

Skylark tira sur son mors ; ses dents grincèrent sur le métal. La ponette avait été championne d'obstacles dans sa jeunesse et adorait l'ambiance électrique des concours.

— Prête, répondit Laurie en raccourcissant les rênes de Hardy, qui se raidit aussitôt. Doucement, le calma-t-elle tandis que Skylark et Shamrock pénétraient sur la piste.

— Avance ! s'énerva Audrey. Tu sais bien qu'on doit rester groupées.

Laurie calqua l'allure du poney sur celle de Bluegrass pour rester synchronisée. Elle franchit la lourde porte et tourna à gauche. Elle faillit s'évanouir en découvrant le monde amassé sur les gradins. Elle parcourut les rangs des yeux, guettant les sourires encourageants des filles de son dortoir, mais ne put les repérer dans la foule.

Elle déplaça son poids sur la selle en arrivant au coin de la piste pour avertir Hardy qu'il devait repartir en diagonale. Le poney se raidit de nouveau.

— Tout doux ! chuchota-t-elle.

Elle resserra les cuisses sur ses flancs afin qu'il allonge légèrement le pas pour imiter la foulée de Bluegrass.

Elle vit les deux autres poneys prendre le trot au bout de la piste. Au roulement de tambours, elle devait passer avec Audrey à la droite d'Éléonore et d'Olivia. Une clameur monta de l'assistance : ils crurent que les cavalières allaient se percuter. Elles passèrent si près les unes des autres que Laurie entendit cliqueter son étrier contre celui d'Éléonore. Elles échangèrent un sourire tandis que retentissait un tonnerre d'applaudissements. Hardy s'ébroua : il commençait à s'amuser, lui aussi.

Lorsqu'elles virèrent pour partir au galop, Laurie éprouva une bouffée d'angoisse. Elle arrivait au passage qu'elle n'avait jamais pu réussir à l'entraînement. Elle se cala sur la selle et exerça une franche pression de sa jambe extérieure. Comme si cela avait été tout naturel, Hardy partit du bon pied. Les quatre poneys se mirent au galop avec une harmonie parfaite. Les spectateurs retinrent leur souffle, et le martèlement des sabots sur le sable résonna dans le silence complet.

Arrivée au bout de la piste, Laurie ramena Hardy vers le centre. Elle entendit Bluegrass mordre son mors tandis qu'Audrey le faisait ralentir pour le garder au même niveau. Épaule contre épaule, les quatre filles éperonnèrent leurs chevaux alors que la musique allait crescendo. Puis, avec un ensemble impeccable, elles tirèrent sur leurs rênes et s'arrêtèrent en ligne.

— Un, deux, trois, quatre, compta Laurie à voix basse. On a réussi !

Elle relâcha les rênes pour la révérence, et ne put se retenir de tapoter l'encolure de Hardy, quitte à gâcher cet alignement parfait.

Le public les salua par un tonnerre d'applaudissements. Laurie se détendit enfin. Son sourire s'élargit encore plus lorsqu'elle aperçut Margaux perchée en haut des gradins, entourée de toutes les filles de leur dortoir.

La musique repartit, plus lentement. Les cavalières regagnèrent la sortie deux par deux, de part et d'autre de la piste, et se rejoignirent devant la porte dans une synchronisation irréprochable. Elles sortirent sous les acclamations du public ponctuées par le martèlement des sabots de leurs chevaux sur le sol dur de la cour.

Laurie venait à peine de sauter de sa selle quand Margaux arriva en courant :

— Vous avez été fantastiques !

— Tu as des ailes ou quoi ? s'esclaffa Laurie.

Elle fit passer les rênes par-dessus la tête de Hardy et le tira sur le côté pour laisser le passage à l'équipe intermédiaire.

— Tu as été génial ! félicita-t-elle Hardy en lui caressant les naseaux.

L'alezan frotta sa tête contre son bras afin qu'elle lui retire sa bride.

— Attends d'être dans ton box ! lança-t-elle en riant.

Elles conduisirent le poney à l'écurie, où Laurie l'étrilla pendant que Margaux allait remplir un petit filet à foin pour le faire tenir tranquille. Laurie lui retira son seau d'eau : il devait bientôt sauter, et elle n'avait aucune envie de le voir pris d'une colique en pleine démonstration. Elle plongea une éponge dans l'eau et la lui pressa sur la bouche pour étancher sa soif.

— Si on se dépêche, on pourra peut-être voir le numéro de dressage, suggéra Margaux en finissant d'attacher le filet de foin.

— On y va !

Laurie tapota l'encolure du cheval et suivit son amie.

— Mélanie nous a gardé des sièges, annonça Margaux avant de la guider vers le haut des gradins.

Elles s'avancèrent pliées en deux jusqu'à l'endroit où Mélanie les attendait.

— Bravo, Laurie ! dit Jessica, assise avec Y Lan et Patty de l'autre côté de Mélanie.

Elle lui tendit un gros sac de pop corn.

— Non, merci, répondit Laurie. Je suis incapable d'avaler quoi que ce soit avant d'avoir terminé l'épreuve de saut.

À cet instant, tout le monde se mit à applaudir. Laurie se tourna vers la piste, où Flore Chapelin, capitaine de l'équipe senior, entrait sur Mischief Maker. Les filles avaient l'habitude de la voir monter son hongre bai avec des étriers courts et en tenue de saut, car c'était un excellent cheval d'obstacles. Là, il avait une allure totalement différente, en bride complète sans martingale et avec une selle de dressage.

— Waouh ! souffla Margaux.

Flore semblait si solennelle avec sa veste queue de pie, son chapeau haut de forme et ses hautes bottes ! Elle s'arrêta, salua, puis conduisit son cheval au trot vers le centre de la piste.

Elle exécuta la première partie de sa prestation à la perfection. Lorsque Mischief réalisa une demi-pirouette avant d'enchaîner sans effort sur un trot rassemblé, Laurie dut se retenir d'applaudir. Elle jubilait en entendant les commentaires élogieux des anciennes élèves assises derrière elle.

— Vous croyez qu'on avait aussi fière allure à notre époque ?

— Cette nouvelle responsable s'y connaît en dressage.

— Ça ne m'étonnerait pas de voir bientôt ce couple en compétition internationale !

Tandis que, saluée par un tonnerre d'applaudissements, Flore sortait de la piste, les rênes relâchées, l'équipe d'entretien s'avança pour installer le parcours de huit obstacles.

— Tu as vu la hauteur de ce mur ? marmonna Margaux. Il est aussi grand que Morello ! J'espère qu'ils l'abaisseront pour nous.

Laurie hocha la tête et poussa un grand soupir.

— On ferait mieux d'y aller, continua son amie en la tirant par la manche.

Laurie aurait bien aimé regarder la fin de la démonstration de l'équipe senior, mais Margaux avait raison : elles devaient se préparer.

— Je te dis m..., fit Mélanie alors que Laurie passait devant elle.

Laurie et Margaux mirent les brides à leurs poneys et les conduisirent vers la carrière d'entraînement après avoir resserré leurs sangles.

Olivia et Éléonore y promenaient Shamrock et Skylark. Les cavalières qui les précédaient n'avaient pas encore terminé leur démonstration, mais tout devait se dérouler à merveille, à en juger par les applaudissements qui parvenaient de la piste.

— Ho ! lança Laurie en retenant Hardy, qui avait décidé qu'il était temps de repartir à l'écurie. Encore un petit effort, et tu pourras te reposer jusqu'à la fin de la journée.

Les deux amies firent trotter leurs poneys sur le plat, puis sauter deux fois l'obstacle d'entraînement. Ensuite, considérant leurs chevaux suffisamment échauffés, elles les guidèrent vers la sortie.

Tandis qu'elles s'approchaient de la piste, les cavalières du groupe intermédiaire en sortaient sous les vivats du public. Laurie tapota l'encolure de Hardy :

— Prépare-toi ! Ça sera ton tour dans deux minutes.

— Bonne chance ! leur souhaita Anita Demarco, qui passait sur Prince, son hongre alezan. Méfiez-vous de la combinaison. Elle est très serrée.

— Aïe... Je n'avais pas besoin de ça ! gémit Margaux.

— Tout ira bien, la rassura Laurie. N'oublie pas que Morello a une foulée plus courte que Prince. Pense seulement à faire un demi-arrêt avant le virage. Tu l'as parfaitement réussi en entraînement, il n'y a pas de raison que tu le rates maintenant.

— Sauf un coup de bol ! lança au passage Audrey, qui conduisait Bluegrass vers l'entrée.

Laurie la fusilla du regard : cette peste avait le don de les surprendre dès qu'elles baissaient la garde.

Avant qu'aucune des deux filles n'eût le temps de répliquer, le haut-parleur annonça :

— Et voici la dernière démonstration de l'après-midi, avec, en piste, l'équipe junior !

— On va leur montrer ce qu'on a dans le ventre ! plaisanta Éléonore Dixon.

Laurie raccourcit ses rênes et se tourna vers Margaux :

— Bonne chance !

— Toi aussi.

Laurie engagea Hardy sur la piste derrière Bluegrass et Skylark. Ils trottèrent vers le centre et s'arrêtèrent. Elle vit alors deux anciennes agiter la main en direction d'Audrey. « Elles doivent appartenir à la célèbre équipe Harrison, songea-t-elle, la gorge soudain nouée. Audrey leur a sûrement parlé de la boursière qui n'est jamais montée en compétition nationale... »

Comme s'il sentait son brusque changement d'humeur, Hardy fit un écart sur le côté, et elle dut s'appliquer à le calmer tandis qu'Audrey se détachait du groupe pour sauter la première.

Dès le départ, tout se passa à la perfection pour Bluegrass et sa cavalière. À mi-parcours, lorsque Bluegrass s'envola au-dessus du mur, l'assistance applaudit à tout rompre.

Laurie se pencha vers Margaux :

— Avec elle, tout paraît trop facile.

— N'oublie pas que c'est une Harrison, voyons !

Bluegrass franchit avec succès le premier obstacle de la combinaison, puis fit un saut de puce avant de survoler le second.

Audrey lui tapota l'encolure et le ramena au galop vers son équipe, un grand sourire aux lèvres.

C'était au tour de Margaux. Laurie crispa les doigts sur ses rênes : Hardy tressaillit.

— Fais un sans-faute, fais un sans-faute ! murmura-t-elle en suivant son amie des yeux.

À quatre foulées du mur, Morello coucha les oreilles, comme s'il n'aimait pas le rouge vif des briques en bois. Margaux lui donna un léger coup de cravache, et il s'élança en s'ébrouant. Laurie retint son souffle pendant qu'il franchissait le mur de justesse en raclant le haut de ses postérieurs. Puis il sauta sans problème l'oxer, le vertical et le spa. Laurie regarda Margaux ralentir le hongre et compter ses foulées : une, deux, trois, avant d'aborder la combinaison. Le paint s'élança pour franchir le premier obstacle. Comme Bluegrass, il fit un saut de puce avant de s'envoler par-dessus le second. Margaux et sa monture avaient réussi un sans-faute !

Laurie aurait voulu applaudir avec les autres la belle prestation de son amie, mais son tour arrivait. Elle rassembla les rênes en essayant d'oublier les centaines de regards braqués sur elle. « Pourvu que je fasse un sans-faute, moi aussi ! » pria-t-elle. C'était son premier concours officiel depuis la formation de l'équipe, et elle ne voulait pas décevoir ses amies. Et encore moins prêter le flanc aux railleries d'Audrey Harrison...

# 6

Hardy tira sur les rênes tandis qu'ils se dirigeaient au petit galop vers les barres rouge et blanc.

— Du calme, chuchota Laurie, les jambes serrées pour qu'il conserve son rythme, tout en tenant les rênes d'une main ferme afin de l'empêcher de s'écraser sur l'obstacle.

À trois mètres des barres, elle avança les bras et le laissa prendre une longue foulée puissante avant de sauter. « Vas-y, mon grand ! » l'encouragea-t-elle mentalement alors qu'il franchissait le premier obstacle sans encombre.

Elle vit à peine passer les deux obstacles suivants. Ils s'approchaient à présent de l'oxer. Le cheval prit son élan et bondit, décrivant un arc de cercle parfait. Laurie frissonna de plaisir à l'attaque du vertical. Leur entraînement portait ses fruits ! Détendue, elle évalua la distance pour préparer le saut.

Au dernier moment, elle se rendit compte qu'ils allaient trop vite. Quand Hardy s'élança, ses antérieurs heurtèrent la barre, qui vibra sur ses taquets. « Je t'en prie, tiens bon ! », supplia Laurie, qui n'osait pas regarder derrière elle, de peur de déstabiliser sa monture.

Un gémissement monta de la foule : la barre venait de tomber lourdement sur le sol. Laurie sentit son estomac se serrer de déception. Elle se mordit la lèvre et s'efforça de se concentrer sur le reste du parcours.

Lorsque Hardy eut franchi le dernier obstacle, les spectateurs applaudirent aussi fort que pour Margaux et Audrey, mais cela ne la consola pas. Elle rejoignit le groupe en fixant la crinière de Hardy, accablée de honte. Ce n'était pas la performance que le public avait attendue de celle qui avait décroché la prestigieuse bourse Rockwell !

— Beau travail ! commenta Éléonore.

Laurie lui répondit par un demi-sourire.

— C'était génial ! lui chuchota Margaux.

— Je me sens tellement bête d'avoir relâché mon attention avant le vertical ! soupira Laurie en regardant Olivia s'élancer sur le parcours avec Shamrock.

— Arrête ! Je parie que tout le monde t'a trouvée excellente.

« Pari risqué ! » songea Laurie. Elle ne put s'empêcher de loucher vers Audrey : comme toujours, Mlle Je-suis-parfaite avait fait un parcours impeccable, et elle ne manquerait pas de le lui faire remarquer...

Laurie conduisit Hardy dans son box, abattue : elle s'en voulait tellement d'avoir commis cette faute, la seule de l'équipe ! « J'espère que Diane Rockwell n'était pas dans le public », pensa-t-elle en caressant le chanfrein du poney.

Soudain, Hardy leva la tête et regarda derrière elle.

Elle se retourna : deux jeunes femmes approchaient en discutant avec animation.

— Tu es bien Laurie O'Neil ? demanda la première, une jolie blonde aux yeux verts et au sourire sympathique.

— Oui, répondit Laurie, qui cherchait désespérément où elle les avait déjà vues.

— Je suis Rachel, et voici Melissa.

Laurie sursauta : les sœurs d'Audrey ! Les mêmes cheveux blonds et les pommettes hautes ; seuls les yeux étaient différents.

— Nous voulions te féliciter pour ton parcours, reprit Rachel. Tu as été formidable ! Je n'ai jamais vu Hardy sauter comme ça. Il était déjà là quand je suis arrivée à Chestnut Hill, et on l'a toujours considéré comme irrécupérable. Une vraie tête de mule ! Or, là, il avait l'air d'un champion.

Laurie cligna des yeux, sidérée : ces filles étaient-elles vraiment les sœurs d'Audrey ? Ce n'était pas cette peste qui l'aurait complimentée sur sa façon de monter !

— Merci, fit-elle en rougissant. Je regrette seulement de ne pas avoir réussi un sans-faute... Hardy a sauté de tout son cœur, mais je me suis déconcentrée.

— Ne t'inquiète pas, ça viendra, la rassura Melissa. L'année ne fait que commencer. Il faut avoir du talent pour l'amener à sauter comme ça ! Vous formez une sacrée équipe. Il franchirait des montagnes pour toi !

Gênée par autant de louanges, Laurie cherchait une réponse courtoise lorsqu'elle vit Audrey apparaître au bout de l'allée.

— Je reviendrai voir Audrey lors des concours, reprit Rachel. Et je te suivrai de près, toi aussi. Je suis sûre que vous ferez un malheur, toutes les deux !

Audrey se glissa entre ses sœurs, le visage impassible. Elle balaya du regard Hardy, qui reniflait son filet vide, et adressa un sourire éclatant à Laurie. Celle-ci faillit s'étrangler de surprise.

— Je suis d'accord à cent pour cent, fit Audrey. Tu peux être fière de ce que tu as obtenu de ce poney. C'est incroyable qu'il ne s'en soit tiré qu'avec une faute alors qu'il n'a pas une seule goutte de sang de champion dans les veines.

Laurie se figea : elle avait comme impression que cette remarque ne visait pas que Hardy...

Elle entendit la porte du box voisin claquer et vit Margaux apparaître derrière les sœurs Harrison, les joues écarlates. À l'évidence, la pique d'Audrey ne lui avait pas échappé.

— Parce que, toi, tu crois que la valeur tient uniquement au pedigree ? lança-t-elle avec véhémence.

Laurie sentit son cœur s'accélérer : elle n'avait aucune envie que l'échange tourne au vinaigre, surtout devant Rachel et Melissa, qui semblaient être des chic filles.

Mais elle eut beau fusiller son amie du regard, celle-ci poursuivit sans se démonter :

— Qu'en pensez-vous, Rachel ?

— Eh bien... c'est vrai qu'une belle lignée laisse espérer un bon potentiel. Mais, à mon avis, c'est le caractère du cheval qui représente son principal atout. Et ça, aucun pedigree ne le garantit...

— Si vous veniez plutôt voir mon Blue ? s'écria Audrey, interrompant leur conversation. Il attend vos félicitations pour son parcours parfait !

Laurie prit une profonde inspiration. « Il faut toujours qu'elle la ramène ! songea-t-elle. Mais on s'en fiche ! Ses sœurs ont trouvé que je montais bien, et un tel compliment dans la bouche d'une ancienne capitaine de l'équipe senior, ça vaut largement une semaine de vacheries de cette peste ! »

# 7

Margaux s'arrêta net au milieu du foyer, où avait été dressé le buffet.

— J'ai dû mourir, et me voilà au paradis ! s'exclama-t-elle en prenant Laurie par le bras. Il doit bien y avoir cinquante plats différents !

Laurie sourit :

— Même toi, tu n'arriveras jamais à tous les goûter !

Elle balaya des yeux les tables installées le long du mur et les plats débordant de nachos, chips, parts de quiche, de pizza... Elle se retourna vers son amie, mais celle-ci avait disparu.

Mélanie s'approcha d'elle avec une assiette bien remplie.

— Si tu cherches Margaux, je viens de la voir plonger dans la salade de pommes de terre. Espérons qu'elle ne va pas se noyer dans la mayo !

Laurie éclata de rire :

— Je vais prendre un peu de pizza en attendant.

Elle alla ensuite se servir un soda et se fraya un chemin à travers la foule pour regagner leurs canapés favoris. Elle s'assit en face de Mélanie, coincée entre Jessica et Y Lan.

— C'est tout ce que tu prends ? s'étonna Y Lan.

Laurie fixa son morceau de pizza : elle n'avait pas faim. Elle s'en voulait encore d'avoir raté le vertical.

— Tu as été géniale, aujourd'hui, déclara Jessica, ses grands yeux noirs brillant d'enthousiasme. Vous avez fait honneur au dortoir Adams, les filles !

— Oui, nous avons été presque parfaites, dit Audrey, qui arrivait avec Patty. C'est pas de bol que la boursière ait été la seule à faire tomber une barre, ajouta-t-elle avec un sourire perfide à Laurie.

Cette dernière sentit ses joues s'enflammer.

— Vraiment, tu exagères, Audrey ! protesta Mélanie.

— Non, non, ce n'est pas ce qu'elle voulait dire, s'empressa d'intervenir Jessica. Toute l'équipe a été fabuleuse ! À tel point que j'aurais presque envie de me mettre à l'équitation.

— Tu sais que tu pourrais la prendre en option, embraya aussitôt Mélanie au grand soulagement de Laurie, qui leur fut reconnaissante de détourner la conversation.

— Chaud devant ! s'écria Margaux.

Elle arrivait, chargée de deux assiettes qui débordaient de nourriture.

Audrey haussa les sourcils :

— Oh, c'est trop mignon d'avoir pensé à Morello ! Mais je ne suis pas sûre que ta tante le laisse manger tout ça... Il y en a un peu trop, même pour un cheval, conclut-elle avant de plonger sa fourchette dans sa salade.

Laurie était sûre que Margaux lui aurait répondu vertement si elle n'avait pas eu la bouche pleine de macaronis au fromage.

— Tiens, c'est quoi, ce qu'elle affiche, Lucy ? lâcha Alexandra en se retournant vers la porte.

Laurie plissa les yeux pour voir ce que faisait la déléguée des élèves :

— On dirait un poster pour la soirée de Halloween.

— Cool ! s'écria Audrey d'un ton enthousiaste. L'année dernière, je faisais partie du comité des fêtes, et nous avions engagé un groupe de théâtre fa-bu-leux, celui que ma mère emploie pour ses réceptions. Peut-être que ça intéresserait Lucy d'avoir son téléphone.

— Il ne s'agit pas d'une soirée de bienfaisance, tu sais, lui fit remarquer Margaux.

— Heureusement que tu es là pour me le rappeler ! rétorqua Audrey.

— Vous savez déjà comment vous allez vous déguiser ? demanda Y Lan, faisant diversion.

— On y réfléchit, répondit Margaux. Et vous ?

— Nous, on s'en est occupées la semaine dernière. Comme nous avons un match de tennis, samedi prochain, il fallait anticiper.

— Et qu'est-ce que vous avez choisi ? demanda Laurie.

Obnubilée par la démonstration d'équitation, elle avait complètement oublié cette soirée.

— J'ai un peu triché, avoua Jessica. J'ai demandé à ma mère de m'envoyer la robe que je portais pour le rôle de Betty Boop, au spectacle de fin d'année de mon ancienne école.

Margaux poussa un hurlement de loup :

— Waouh ! Ce sont les garçons de Saint Kit qui vont être contents !

Laurie cligna des yeux : elle avait aussi oublié que les garçons venaient à leur soirée. Elle pensa aussitôt à Caleb, le beau garçon brun qu'elle avait rencontré au club d'équitation, l'été précédent. Il lui avait dit qu'il était pensionnaire à Saint Kit, et elle l'avait en effet aperçu à une réunion interscolaire. Mais elle n'avait pas osé l'approcher, d'abord parce que les garçons ne l'intéressaient pas, et ensuite parce qu'elle ne savait pas quoi lui dire. Au club, l'été passé, c'était différent, ils parlaient de chevaux.

— Vous croyez que les garçons vont nous appeler pour nous inviter ? souffla Pauline.

— Alors là, tu rêves ! Ce n'est pas un bal de fin d'année ! objecta Margaux. Un, ils ne connaissent pas nos numéros, deux, ils ne savent même pas comment nous nous appelons...

Pendant qu'elle parlait, Laurie surprit un regard entendu entre Audrey et Patty. Que leur cachaient-elles ?

— ... et, trois, ils auront largement le temps de le découvrir quand ils seront là ! finit Margaux avec un grand sourire. Et je préfère être libre de danser avec qui je veux, plutôt que de miser sur le même cheval en me limitant à un seul cavalier toute la soirée.

Ses amies éclatèrent de rire.

— En quoi tu te déguises, Y Lan ? voulut savoir Alexandra.

— Devinez. Je vous donne un indice.

Y Lan posa son assiette, se leva, croisa les bras et avança en frottant ses pieds l'un contre l'autre.

Patty fronça les sourcils :

— En momie ?

— Moi, je penserais plutôt à Morticia Adams, dit Mélanie.

— Dans le mille !

Y Lan exécuta une révérence devant elle avant de se laisser tomber sur le canapé.

— Et depuis quand Morticia marche-t-elle en traînant les pieds ?

— Je ne traînais pas les pieds, je glissais sur le sol, rectifia Y Lan. Vous verrez, ça rendra mieux quand je serai costumée.

Pauline se tourna vers Audrey et Patty :

— Et vous ? Vous avez déjà trouvé une idée ?

— Tu perds ton temps, répliqua Jessica. C'est top-secret.

— On vous le dirait bien, mais ensuite il faudrait vous tuer pour garder le secret, alors..., enchérit Audrey le plus sérieusement du monde.

Elle se tamponna les lèvres avec sa serviette et se tourna vers Laurie et Margaux.

— Vous n'avez pas oublié qu'on doit recevoir nos spencers en polaire de l'équipe, lundi ? Et qu'on prendra aussi nos mesures pour nos vestes d'équitation. Ah, ce n'est pas donné, de faire partie de l'équipe de compétition ! ajouta-t-elle en prodiguant un sourire faussement complice à Laurie. Je ne sais pas comment je ferais sans la carte Gold de mon père.

Laurie sentit un poids lui plomber l'estomac : elle avait complètement oublié les spencers ! Quant aux vestes, il leur faudrait sans doute les régler d'avance. Sa bourse couvrait les frais de scolarité et de pension, mais pas les dépenses de fournitures supplémentaires, ni les sorties. Son père lui versait de l'argent tous les mois, et elle en avait mis un peu de côté ; cependant il n'y en avait pas assez pour qu'elle paie un costume.

— Heureusement, Mme Carmichael doit avoir d'anciens uniformes pour les filles qui n'ont pas les moyens de s'en acheter, ajouta Audrey en inspectant ses ongles manucurés.

Patty laissa échapper un gloussement.

« Il n'y en a pas une pour rattraper l'autre », songea Laurie, qui avait en effet envisagé de demander à Mme Carmichael un spencer et une veste d'occasion.

— Moi, je n'ai pas besoin de carte Gold. J'ai toujours préféré payer cash, déclara-t-elle, soudain décidée à les acheter neufs, quitte à se ruiner.

Elle vit que Margaux la dévisageait avec un mélange d'admiration et d'inquiétude. Tant pis ! C'était le seul moyen de s'intégrer au groupe.

— Mon père m'a appris que c'était mal élevé, de parler

d'argent en public, alors on pourrait peut-être passer à un sujet plus élégant ? conclut-elle avec assurance.

Un silence de plomb tomba sur les cinq filles.

— Et toc ! Un point pour Laurie ! lâcha Mélanie, alors qu'Audrey se penchait pour chuchoter quelque chose à l'oreille de Patty.

Laurie soupira : que mijotaient-elles encore ? Elle s'était fait d'excellentes amies à Chestnut Hill. Pourquoi avait-il fallu qu'elle se fasse aussi des ennemies ?

# 8

Laurie suspendit soigneusement son spencer en polaire bleu marine avec le logo de Chestnut Hill brodé sur la poitrine. Peu lui importait d'avoir investi tout son argent dans son équipement d'équitation. Dans quatre semaines exactement, elle porterait cette veste pour la première fois ! Six équipes d'écoles voisines se retrouveraient à Saint Kit pour une rencontre amicale avant le championnat interscolaire, qui prenait de plus en plus des allures de sélection pour la Coupe du monde.

Margaux passa la tête dans l'entrebâillement de la porte :

— Dis, Laurie, tu descends au foyer ? Mélanie et Pauline proposent qu'on cherche ensemble des idées de costumes pour la soirée de Halloween.

Laurie soupira : elle ne voyait toujours pas comment elle pouvait se procurer un déguisement alors qu'elle n'avait plus un sou ni le moindre don de couturière.

Elle suivit à contrecœur son amie, qui en profita pour revenir sur leur dernière leçon d'équitation.

Mme Carmichael leur avait demandé de ne pas prendre leurs poneys attitrés, et Laurie s'était retrouvée sur Soda, qui n'en avait fait qu'à sa tête.

— Il paraît qu'Émilie Page l'avait monté pour la reprise du saut d'obstacles juste avant nous, et le matin, il a fait le cours d'amazone des seniors. Il devait être crevé, tu sais !

Laurie sourit. Margaux savait toujours trouver les mots pour la réconforter.

— Toi, tu étais superbe sur Shamrock, fit-elle.

— Oui, c'est une bonne jument. Mais ce sera toujours Morello, mon préféré !

Quand elles arrivèrent au foyer, Pauline, assise en tailleur sur le canapé, mordillait son crayon en étudiant une pile d'esquisses étalées sur la table basse devant elle.

— On avait un devoir en dessin ? demanda Margaux, inquiète.

— Non, ce sont juste quelques projets de costumes, répondit Pauline.

— Quelle bonne idée ! Vous avez un crayon en rab ?

Mélanie en fit rouler un vers elle.

Margaux se laissa glisser entre ses deux amies. Elle prit une feuille blanche et commença à ébaucher une silhouette, mélange de Scooby-Doo et d'abominable homme des neiges.

— Qu'est-ce que tu en penses, Laurie ?

— Pas terrible ! s'esclaffa Laurie en s'asseyant sur le canapé en face pour passer en revue les croquis étalés sur la table. Hé, mais celui-ci est excellent ! dit-elle en brandissant une feuille où l'on voyait une veste de cow-boy à franges avec les jambières assorties. Calamity Jane ?

— Non, Zorro.

— Ah... Et ça, c'est Peter Pan ?

— Non, Robin des Bois, gloussa Pauline. Tu sais, celui qui détroussait les riches pour aider les pauvres.

Elle tira une flèche imaginaire de derrière son épaule et visa.

Laurie fit semblant de tomber.

— Audrey et Patty ont intérêt à bien se tenir ! lança-t-elle.

— Mais où sont-elles, au fait ? demanda Margaux en balayant du regard le foyer. Tout le monde a disparu !

— Audrey a décidé de se présenter au conseil des élèves, expliqua Pauline.

— Et elle a embauché Patty, Y Lan et Jessica pour sa campagne, ajouta Mélanie.

— Pour changer de sujet : en quoi tu te déguises, Laurie ? demanda Mélanie.

L'image d'un drap blanc avec deux trous pour les yeux traversa l'esprit de Laurie.

— Je ne suis toujours pas décidée, répondit-elle.

— Tu as intérêt à trouver d'ici demain. Tu ne vas tout de même pas manquer une fête pareille !

Laurie mordit dans sa pomme et regarda un groupe d'élèves étaler une couverture devant la fontaine. Ses amies et elle avaient préféré pique-niquer à l'ombre d'un sycomore. Ce vendredi, toutes les élèves avaient l'après-midi de libre en compensation du samedi précédent, où elles avaient participé à l'organisation de la journée des anciennes.

— Tu peux me lancer une pomme ? lui demanda Mélanie.

Laurie s'exécuta, mais elle envoya le fruit trop loin, si bien que Mélanie dut plonger pour l'attraper au vol.

— Bravo ! gloussa Laurie. On dirait le chien de mes grands-parents.

— Merci pour la comparaison... Tu te prends pour Audrey ou quoi ?

— Non, c'était un compliment, je te jure ! J'adorais ce chien.

— Je ne savais pas qu'ils en avaient un, intervint Margaux en prenant un troisième gâteau au chocolat.

Laurie cueillit une marguerite et se mit à l'effeuiller, l'air gêné : elle détestait parler d'elle.

— C'était il y a longtemps. Max est mort avant qu'ils vendent leur ferme pour prendre leur retraite.

— Génial ! s'écria Mélanie. Non seulement je te rappelle un corniaud, mais un corniaud mort en plus !

— Quel corniaud ? C'était un superbe labrador noir ! s'esclaffa Laurie, qui commençait à bien s'amuser.

— Sauf que les labradors ne sont pas réputés pour leur intelligence...

— En revanche, ils sont fidèles, remarqua Margaux.

— Ça, je reconnais que c'est une de mes qualités, marmonna Mélanie.

— Oh, je voulais juste dire que Max était très joueur,

reprit Laurie. Il rattrapait absolument tout ce qu'on lui lançait. Et il faisait de super sauts périlleux !

— Mais c'est tout toi, ça ! s'exclama Pauline en tapotant affectueusement le genou de Mélanie.

— Tu allais souvent chez tes grands-parents ? continua Margaux.

— Dès qu'il y avait quelques jours de vacances, maman me conduisait chez eux. Elle passait toujours un peu de temps avec nous avant de retourner aider papa au magasin. Figurez-vous qu'elle s'était fait adopter par une énorme poule qui la suivait partout, même dans la maison ! Le problème, c'est que, quand ma mère repartait, c'était moi qu'elle ne quittait plus...

— Elle devait être très sympa, ta mère, remarqua doucement Pauline.

— Elle était géniale ! Elle avait un don incroyable avec les animaux. Elle les attirait tous.

— Comme le Dr Dolittle.

— Exactement !

— Voilà qui explique tout ! déclara Margaux. Tu as hérité de ce don.

Laurie se tortilla, mal à l'aise : elle ne pensait pas être aussi douée que sa mère. Elle se souvint avec émotion de la stupéfaction de celle-ci lorsqu'elle l'avait trouvée, petite, hissée sur l'énorme cheval du voisin.

— Tes grands-parents avaient des chevaux ? s'enquit Pauline.

— Non, mais je passais des heures avec celui des voisins. La fenêtre de ma chambre donnait sur son pré, et je m'imaginais qu'il m'appartenait. C'était un superbe quarter horse qui s'appelait Zanzibar. Mon premier coup de foudre chevalin ! déclara Laurie avec un grand soupir, dissimulant sous cette pointe d'humour le mal qu'elle avait à livrer ses souvenirs. Son propriétaire me laissait le monter à cru. Je ne vous dis pas le nombre de gamelles que j'ai prises ! Mais dès que ma mère m'a vue avec lui, elle a compris que j'avais chopé le virus.

Laurie sourit. Quand elle tombait, Zanzibar s'arrêtait et attendait patiemment qu'elle aille chercher l'escabeau pour remonter. Un matin, comme elle avait fait une bonne dizaine de chutes devant sa mère, elle s'attendait à ce que celle-ci lui interdise de poursuivre. Au contraire, elle lui annonça son intention de l'inscrire à un cours d'équitation dès la fin des vacances.

C'est ainsi qu'à la rentrée sa mère l'avait emmenée au club hippique de la Chênaie. Bien qu'elle n'eût que huit ans, elle avait tout de suite senti que ces cours allaient changer sa vie.

Margaux se leva et épousseta son jean :

— Ça me rappelle que je dois envoyer un mail à mes parents. Je vais à la salle d'informatique. Qui m'accompagne ?

Brutalement tirée de sa rêverie, Laurie empoigna son sac :

— J'arrive !

Elle voulait envoyer des photos à son père. Mélanie avait pris un superbe cliché d'elle au moment où elle sautait la combinaison, lors de la démonstration devant les anciennes.

— À plus ! leur lancèrent Mélanie et Pauline alors qu'elles s'éloignaient.

— À plus, Pauline ! À plus, Max ! répondit Margaux.

Mélanie retroussa les babines et gronda. Laurie sourit en repensant au vieux chien et aux merveilleux séjours dans la ferme de ses grands-parents.

Après avoir envoyé leurs mails, les deux amies se dirigèrent vers les écuries. Elles croisèrent Annie Carmichael qui partait avec le quatre-quatre et le van.

— Salut, les filles ! Je vais voir des poneys à vendre à l'autre bout de la ville. Vous voulez venir avec moi ?

Margaux et Laurie échangèrent un regard ravi.

— Bien sûr ! répondirent-elles à l'unisson.

# 9

— Alors, combien de chevaux doit-on acheter ? demanda Margaux en se penchant pour regarder sa tante dans le rétroviseur de la Jeep.

— Deux. Et seulement à condition qu'ils se révèlent aussi bons que le vendeur le prétend. Que diriez-vous de les essayer pour moi ? Il me faut voir comment ils se comportent, et j'ai peur d'avoir les jambes un peu trop longues...

— Pas de problème ! s'écria Laurie après avoir échangé un nouveau regard avec Margaux.

Lorsque Mme Carmichael se gara une demi-heure plus tard sur le parking d'un imposant haras, les deux filles sautèrent de la jeep avant même qu'elle eût coupé le contact.

Pendant le trajet, elle leur avait expliqué que le haras se spécialisait dans l'importation de chevaux de sport, mais que les deux poneys qu'elles verraient provenaient d'une vente aux enchères locale.

Laurie regarda autour d'elle en humant la délicieuse odeur de foin et de chevaux. Ce haras lui rappelait tellement les écuries de la Chênaie qu'elle s'attendait presque à voir surgir Hélène, sa monitrice, avec Apollo, le grand alezan qui était la coqueluche de tous les cavaliers. Elle soupira : même Apollo n'avait jamais réussi à remplacer Zanzibar dans son cœur...

Tandis qu'elles suivaient Mme Carmichael vers les bureaux, un géant aux cheveux poivre et sel sortit à leur rencontre.

— Ah, madame Carmichael ! Que je suis content de vous voir !

— Bonsoir, monsieur Ryan. Je vous présente deux de mes cavalières juniors. Elles vont essayer les poneys pour moi.

— Excellente idée ! Je vous les ai mis dans le paddock, répondit le propriétaire du haras en indiquant une allée qui menait derrière les écuries. C'est par là. Vous pourrez voir ainsi comment ils se laissent attraper et harnacher.

Laurie hocha la tête d'un air approbateur : ça prouvait qu'il avait confiance dans la personnalité de ses chevaux.

Les deux filles s'engagèrent sur le chemin, suivies par M. Ryan et Mme Carmichael. Une fois devant un paddock entouré de barrières blanches, Laurie s'abrita les yeux du soleil pour examiner les chevaux. Le plus proche était une superbe jument bai clair. Un hongre gris broutait près d'elle en agitant la queue. Il devait mesurer un bon mètre cinquante ; la jument avait dix centimètres de moins.

— Comment s'appellent-ils ? demanda-t-elle à M. Ryan.

— La jument baie, c'est Foxy Lady, et le cheval gris, Winter Wonderland, mais tout le monde l'appelle Winnie, répondit-il.

Il souleva le loquet de la barrière et leur tendit deux longes :

— Je vous laisse vous débrouiller. Vous pouvez utiliser les deux premières stalles de l'écurie. Vous trouverez les harnachements dans la sellerie, au fond. Conduisez-les à la carrière d'entraînement dès que vous serez prêtes.

— Lequel tu veux ? demanda Margaux tandis qu'elles s'avançaient dans le paddock.

— On dirait qu'ils ont déjà fait leur choix, répondit son amie.

En effet, Winnie tendait la tête pour renifler Margaux.

Laurie se dirigea vers la jument, qui la regardait, les oreilles dressées.

— Bonjour, ma belle, dit-elle doucement.

Elle lui caressa les naseaux et lui passa le licol. On voyait à son profil concave que Foxy Lady avait du sang arabe, ce qui devait faire d'elle une monture pleine de vitalité.

Elles conduisirent les chevaux dans l'écurie bien fraîche.

La sellerie sentait bon le cuir ciré. Il y avait tellement de selles et de brides accrochées aux murs que Laurie mit du temps à repérer le nom de Foxy Lady écrit à la craie sous une selle havane.

Elle la souleva et alla la poser sur la porte de Foxy. La ponette semblait toute propre, mais la jeune fille décida de la brosser avant de la seller.

— Pas question qu'un grain de poussière vienne t'irriter une fois que je serai à bord, lui dit-elle. J'ai comme l'impression que tu seras déjà bien assez vive comme ça...

Foxy Lady s'ébroua et gratta la terre de son sabot comme si elle approuvait cette analyse rapide. Laurie sourit et commença à brosser sa robe soyeuse.

Dix minutes plus tard, elle conduisit la ponette vers la carrière. Elle entendit Winter Wonderland hennir derrière elle.

— Une minute ! s'exclama Margaux d'un ton amusé. Tu vas bientôt pouvoir galoper.

— Faites-leur juste travailler les allures, demanda Mme Carmichael, qui s'était assise sur la clôture à côté de M. Ryan.

Lorsque Laurie demanda à Foxy de trotter, la jument fit une petite ruade comme pour montrer qu'elle ne se laissait pas commander comme ça. Laurie se cala dans la selle. La jument tira sur son mors, mais la cavalière changea de diagonale pour lui occuper l'esprit.

Du coin de l'œil, elle vit Margaux, qui faisait trotter Winnie sur un cercle de treize mètres. Le hongre semblait détendu et se penchait docilement vers l'intérieur du parcours. Laurie claqua de la langue. La jument allongea aussitôt son allure et s'ébroua comme si elle était impatiente de montrer de quoi elle était capable.

« Waouh ! j'aimerais bien te voir courir contre la montre avec Mélanie ! » songea Laurie qui connaissait le goût de son amie pour le saut d'obstacles chronométré.

Quand Foxy revint à contrecœur au galop rassemblé, la cavalière sentit que la jument attendait avec impatience l'occasion de n'en faire qu'à sa tête.

— Conduisez-les au parcours d'obstacles maintenant, lança Mme Carmichael.

Laurie suivit Margaux dans la carrière voisine. Une fois à l'intérieur, la jument fit un écart et Laurie ne vit pas Margaux sauter le premier obstacle. En revanche, elle entendit un bruit sourd et aperçut une barrière bleu et blanc au sol... Margaux poussa Winnie vers le deuxième obstacle, le visage déterminé, et le hongre sauta docilement le croisillon. Venait ensuite le vertical. Winnie ralentit son allure, et Margaux lui donna un petit coup de cravache. Une foulée trop tard : Winnie, en s'élançant, fit tomber la barre supérieure avec ses antérieurs. Laurie grimaça : Winnie était très gentil, mais il ne ferait jamais un champion d'obstacles.

Margaux termina le parcours sur deux autres sauts peu convaincants. Elle caressa néanmoins l'encolure du poney tandis qu'elle revenait au trot vers Laurie.

— Il fait de son mieux, mais je ne pense pas qu'il ait beaucoup de détente ! commenta-t-elle.

Laurie s'élança à son tour. Foxy Lady se précipita vers le premier obstacle.

— Du calme ! lâcha Laurie, qui fut contrainte de la retenir.

Un jet de sable jaillit de sous les sabots de la jument tandis qu'elle s'envolait au-dessus de la barrière. Elle resta une seconde comme suspendue en l'air, puis toucha le sol et repartit à fond de train vers l'obstacle suivant.

Après avoir exécuté un parcours sans faute, Foxy rua comme pour exprimer sa joie. Laurie la laissa galoper sur toute la longueur de la carrière avant de la ralentir. Quelle expérience !

— Je parie qu'elle te plaît, gloussa Margaux tandis que son amie se penchait pour caresser l'encolure trempée de sueur de la jument.

— Je n'ai jamais vu un cheval sauter comme ça !

Mme Carmichael vint les rejoindre au milieu du paddock :

— Ils se sont bien comportés tous les deux. Sauf qu'il faudra apprendre à Foxy qu'il existe d'autres allures que le galop...

— Winnie est très réceptif sur le plat. Il devrait faire un excellent cheval de dressage, intervint Margaux.

— Alors vous pensez que ces chevaux seraient une bonne acquisition pour l'écurie de Chestnut Hill ?

— Je déconseillerais Foxy pour les débutantes, répondit Laurie, mais elle serait parfaite pour le groupe intermédiaire. On pourrait la donner à Mélanie en parcours chronométré. Je parie qu'elles seraient imbattables.

— Très bien. Ramenez-les à leurs stalles et dessellez-les. Je retourne voir M. Ryan afin de négocier le prix.

Après avoir rapporté son harnachement dans la sellerie, Laurie rejoignit Margaux dans le box de Winny :

— Tu veux un coup de main ?

— J'ai presque fini, merci, répondit son amie en épongeant les oreilles du poney.

Laurie décida d'aller jusqu'au bout de l'allée pour voir s'il y avait d'autres chevaux. La plupart des stalles étaient vides, mais alors qu'elle s'approchait du fond, un palomino passa la tête par-dessus le portillon.

— Bonjour, toi, murmura la jeune fille en lui tendant sa main pour qu'il la sente.

Le palomino effleura sa paume de ses lèvres avant de retourner vers son râtelier.

Deux stalles plus loin, un magnifique warmblood gris sortit la tête en entendant Laurie arriver. Elle s'avança pour l'admirer de plus près et s'arrêta net en apercevant un poney qui se tenait dans le box entre le Palomino et le gris. Sa petite tête bien dessinée, ses jambes minces et sa robe brune et soyeuse lui parurent si familières qu'elle en eut le souffle coupé.

— Zan ? lâcha-t-elle.

# 10

Le cheval brun se tourna vers elle, et elle tressaillit : ce n'était pas Zanzibar. Jamais il n'aurait eu cet air si méfiant.

Mais il ressemblait tellement à son quarter horse préféré qu'elle ne put s'empêcher d'approcher.

— Bonjour, mon grand, dit-elle en tendant la main.

Le poney coucha les oreilles sans quitter le fond du box. Laurie sentit son cœur se serrer au souvenir de Zanzibar, si affectueux et si confiant.

Elle s'accouda au portillon en songeant à son désespoir quand ses grands-parents avaient vendu leur ferme. La maison paisible, avec sa grande véranda et sa vieille balancelle, était un second foyer pour elle. Non seulement elle avait vu s'envoler le confort et la liberté qu'elle y avait connus, mais elle avait dû dire adieu à Zanzibar. C'était comme si elle avait perdu un membre de sa famille.

Le cheval gratta nerveusement le sol. Laurie n'arrivait pas à croire qu'un cheval qui ressemblait autant à Zanzibar puisse avoir un comportement aussi différent. Elle souleva le loquet. Le poney redressa la tête et rejeta la crinière en arrière.

Laurie se retint au chambranle en étouffant un cri : il avait une petite touffe de poils blancs juste à la naissance de la crinière, comme Zanzibar ! Les gens superstitieux y voyaient d'ailleurs la marque d'un cheval vraiment spécial.

Sans savoir si c'était de l'inconscience ou du courage, elle traversa le box. Le poney roula des yeux, affolé.

— Doucement, je ne te veux aucun mal, fit-elle tout bas, en se demandant ce qui avait pu lui arriver pour qu'il soit si peureux.

Quand elle s'approcha, elle vit qu'il n'était pas de la même race que Zanzibar. Même si sa robe n'était pas aussi soyeuse et aussi bien soignée que celle des autres chevaux de l'écurie, ses jambes élégantes et son arrière-train musclé rappelaient ceux d'un pur-sang anglais. Sa taille suggérait par ailleurs qu'il descendait d'un quarter horse, comme Zanzibar. Malgré son attitude méfiante, il y avait de la noblesse dans son port de tête et ses yeux bruns. Une étoile à peine visible se dessinait sur son front.

— Qu'est-ce qui t'est arrivé, mon tout beau ? chuchota-t-elle.

Elle lui tendit encore sa main à renifler, puis pencha la tête pour lui souffler doucement dans les naseaux, comme le faisaient les chevaux pour se saluer. Il se raidit, et Laurie crut qu'il allait s'écarter. À son grand soulagement, il souffla à son tour. Le premier pas était fait !

— Qu'est-ce que tu fabriques ?

Margaux apparut sur le seuil. Le hongre coucha les oreilles et agita la queue.

— Waouh, il n'a pas l'air commode !

— Non, je crois qu'il a surtout très peur, le défendit Laurie.

Elle sursauta en apercevant M. Ryan et Mme Carmichael derrière son amie, gênée d'être surprise à l'intérieur du box.

— Je suis d'accord, l'approuva M. Ryan. Nous venons d'acquérir Tybalt, ce qui explique qu'il ne soit pas en aussi bonne condition que nos autres chevaux. Mais il a du tonus, et nous avons pensé qu'avec un peu de dressage il pourrait se révéler un bon élément. Si vous avez une élève prête à lui consacrer du temps, ajouta-t-il en se tournant vers Mme Carmichael, je pense que vous ne serez pas déçue du résultat.

Laurie tourna un regard plein d'espoir vers Mme Carmichael. Hélas, celle-ci ne semblait pas séduite par le poney.

— Je ne sais pas..., fit-elle. J'avais l'intention de ne prendre que deux chevaux. En outre, je n'ai pas vraiment le temps de le voir monté, ajouta-t-elle en consultant sa montre. Il faut qu'on ramène les deux autres.

— Je comprends votre hésitation, mais je vous propose un marché, insista M. Ryan. Je viens d'acquérir deux yearlings, et je ne pourrai pas lui consacrer beaucoup de temps. Je vous le revends au prix que je l'ai payé.

Laurie contempla Tybalt, de plus en plus convaincue qu'il avait quelque chose de plus que les autres.

— Non, je reviendrai une autre fois, décida Annie Carmichael. Je ne peux pas l'acheter sans savoir comment il se comporte avec une cavalière.

— Dommage. Je ne pense pas que je le garderai longtemps si je mets une annonce à ce prix-là...

Laurie fut choquée d'entendre le propriétaire du haras marchander comme un vendeur de voitures d'occasion. On aurait dit qu'il voulait à tout prix se débarrasser de ce cheval !

Elle leva un regard implorant vers Mme Carmichael. Elles ne pouvaient pas laisser Tybalt, c'était impossible !

# 11

Annie Carmichael fronça les sourcils :

— Eh bien, ces deux poneys ne nous suffiront pas, mais je ne suis pas pressée d'en acheter un troisième. Surtout s'il est nerveux comme celui-là.

— Peut-être qu'il est juste déstabilisé d'avoir changé d'écurie, intervint Laurie.

Plus elle observait le poney, plus elle se sentait capable de l'aider. Elle avait éprouvé le même sentiment le jour où elle avait trouvé un vieux chat tigré, couché sur une pile de cartons derrière le magasin de son père. Elle avait peu à peu conquis sa confiance en lui proposant des morceaux de poisson. Sa mère et elle l'avaient baptisé Marmelade quand elles eurent enfin réussi à le ramener à la maison. Toutes deux avaient passé des heures à son côté devant le feu, sans jamais essayer de le prendre dans leurs bras, attendant patiemment qu'il fasse le premier pas.

— Je vous laisse y réfléchir si vous voulez, dit M. Ryan.

Il s'écoula quelques secondes de silence.

— Il a la bonne taille, murmura Mme Carmichael. Et on voit qu'il descend d'une belle lignée...

— Écoutez, pourquoi ne le prendriez-vous pas à l'essai, disons pour un mois ? Si vous n'en êtes pas satisfaite, je vous le rembourserai en totalité.

Laurie retint son souffle. Les yeux de Mme Carmichael glissèrent du poney à son élève, puis à M. Ryan.

Elle finit par tendre la main au propriétaire du haras.

— Marché conclu ! Toi, ajouta-t-elle en se tournant vers Laurie, je vois bien que tu es sous le charme. Je me fie à ton instinct.

Pendant que Margaux attachait Foxy Lady dans le van, à côté de Winnie, Laurie tentait de rassurer Tybalt, qui piétinait nerveusement au pied de la rampe.

— Tout se passera bien, lui murmura-t-elle. Tu as vu comme Winnie et Foxy sont montés facilement ?

Elle tira sur la corde, mais Tybalt refusa de bouger.

— Tu veux de l'aide ? proposa M. Ryan.

Laurie secoua la tête. Elle se mit à masser le cou du poney en décrivant des cercles comme elle avait vu Laura Fleming le faire à la conférence sur les thérapies alternatives, espérant calmer le poney grâce au fameux massage doux.

— Prends tout ton temps, fit-elle. Je sais que tu n'as aucune envie de remonter dans un van et de changer encore d'écurie, mais je te promets qu'il y a un bon seau de fourrage et plein de copains qui t'attendent à l'arrivée.

Elle avait beau lui parler, il restait toujours aussi tendu.

— Je prendrai soin de toi, chuchota-t-elle en tirant de nouveau sur la longe.

Cette fois, le hongre fit un pas vers la rampe. Il marqua encore un arrêt, puis suivit la jeune fille jusqu'au bout.

— Bravo ! lança Margaux avant d'aider Mme Carmichael et M. Ryan à relever la rampe.

Laurie attacha soigneusement Tybalt et le caressa une dernière fois avant de s'éclipser par la porte latérale, espérant que son arrivée à Chestnut Hill se déroulerait aussi bien.

— Je peux conduire Tybalt dans son box ? demanda Laurie dès qu'elles s'arrêtèrent devant les écuries de Chesnut Hill.

— Bien sûr. Je m'occupe des deux autres avec Margaux, répondit Mme Carmichael.

Tybalt descendit le premier, et Laurie l'emmena sans attendre les autres, pressée de l'installer au plus vite. Elle le conduisit au bout de l'allée et sourit en voyant la façon dont il regardait autour de lui et s'ébrouait en reniflant de nouvelles odeurs.

— On y est ! annonça-t-elle.

Mais quand elle tendit la main pour détacher son licol, il recula brusquement ; ses sabots claquèrent sur le sol. Laurie posa la main sur son encolure avec douceur. Il remua, mal à l'aise, mais dès qu'elle commença à décrire de petits cercles du bout des doigts, il poussa un soupir et baissa la tête. Laurie frissonna de joie. Elle n'était pas sûre de pratiquer le massage doux selon les règles, mais ce qui comptait, c'est que cela semblait le calmer.

— Tu es un bon garçon ! lui chuchota-t-elle alors qu'il fermait les yeux à demi.

Et quand il appuya sa tête contre elle, elle retint son souffle, le cœur gonflé de bonheur. Elle dut faire un effort pour se souvenir qu'elle ne se trouvait pas à la ferme de ses grands-parents, et qu'il ne s'agissait pas de Zanzibar...

À cet instant, les sabots d'un cheval résonnèrent dans l'allée. Tybalt rouvrit les yeux et recula dans le coin, manquant de la faire tomber.

— Du calme, tenta-t-elle de le rassurer, brutalement ramenée à la réalité : il n'était pas le doux quarter horse qu'elle montait, enfant.

Flore arrêta Rose devant la porte de Tybalt et poussa un sifflement admiratif devant le nouvel arrivant :

— Qu'il est beau !

— Ça, côté allure, y a rien à dire. Mais il a les nerfs à fleur de peau.

— C'est normal. Ça va s'arranger avec le temps.

D'un claquement de langue, elle fit entrer Rose dans le box voisin.

— Je peux aller te chercher de la paille, si tu veux, proposa-t-elle.

— Ce serait génial !

Laurie se tourna vers Tybalt, qui coucha aussitôt les oreilles en arrière.

— Message reçu ! Je vais te donner ce seau de fourrage que je t'ai promis, dit-elle en sortant de la stalle.

Elle refermait le loquet lorsque Margaux la rejoignit :

— Comment se plaît-il dans sa nouvelle maison ?

— Il est un peu effrayé.

— Si quelqu'un peut le rassurer, c'est bien toi. Tu as le don.

Laurie sourit. Depuis qu'elle avait assisté à la conférence de Laura Fleming sur les thérapies alternatives, elle rêvait de mettre ses méthodes en application. Elle se retourna vers Tybalt. Il la fixait depuis le fond du box, le souffle court. Margaux avait raison : il faudrait qu'il surmonte rapidement sa nervosité. Jamais Mme Carmichael n'accepterait de garder un poney aussi instable et rétif.

Laurie posa son plateau sur la table de la cafétéria où les filles d'Adams s'asseyaient habituellement. Elle tira une chaise près de Margaux, puis elle saupoudra ses lasagnes de parmesan.

— Hum, ça sent bon ! J'aurais dû prendre la même chose que toi, murmura son amie en jetant un regard maussade sur son poulet rôti et sa purée.

— Tu finiras mon assiette, comme d'habitude !

— Où sont les autres ? demanda Pauline en s'asseyant près d'elles, avec un geste vers les sièges vides.

— Audrey doit encore distribuer ses tracts. Les élections ont lieu lundi, lui rappela Alexandra.

— Avec tout ce qu'elle a affiché dans le campus, on ne peut plus poser les yeux nulle part sans tomber sur elle ! grommela Margaux. On se croirait dans un film d'horreur ! Ça me fiche les jetons, de voir partout son sourire de timbrée.

— Autant que le nouveau poney dont tu m'as parlé ? gloussa Mélanie.

— J'ai jamais dit qu'il était timbré, bredouilla Margaux en voyant que Laurie la dévisageait, outrée. J'ai juste dit qu'il était nerveux.

— Tu parles ! insista Mélanie sans se rendre compte du malaise de son amie. Tu m'as dit qu'il était splendide, mais qu'on n'avait pas la moindre idée de ce qui lui passait par la tête.

— Je te signale qu'on dit la même chose de toi, rétorqua Margaux en riant.

Elle s'apprêtait à mordre dans son poulet lorsqu'elle s'aperçut que Laurie continuait à la fixer d'un regard lourd de reproches. Elle se sentit forcée de rattraper sa gaffe :

— Écoute, Mélanie. On ne peut jamais savoir ce que ressent un cheval qu'on ne connaît pas. C'est vrai que je le trouve un peu trop méfiant, mais il plaît beaucoup à Laurie et je suis sûre qu'elle saura l'apprivoiser.

Pauline se tourna vers Laurie :

— Tu l'as déjà monté ?

— On n'a pas eu le temps. Et je pense que Mme Carmichael attendra qu'il trouve ses marques avant de le tester.

— Eh bien, voilà l'occasion rêvée d'expérimenter les fameuses techniques de Laura Fleming.

— Peut-être..., fit Laurie.

Elle en avait bien l'intention, convaincue que Tybalt pourrait être aussi loyal et fiable que Zanzibar.

— En tout cas, je me fie à ton jugement. C'est toi qui as décroché la bourse, pas nous ! ajouta Mélanie avec un clin d'œil.

# 12

Laurie croisa les doigts sous la table. Sans le savoir, ses amies lui mettaient une pression terrible. Non seulement elle devait faire en sorte que Tybalt reste à Chestnut Hill, mais il lui fallait en plus prouver à tout le monde, et à elle la première, qu'elle avait mérité la prestigieuse bourse Rockwell.

Elle avait cru rêver quand Diane Rockwell l'avait abordée, l'été précédent, lors d'un concours à la Chênaie. Elle avait tout de suite reconnu cette grande rousse, mais c'était une chance qu'elle ne l'eût pas aperçue plus tôt, car elle avait déjà eu sa dose d'émotions. Depuis l'aube, elle n'avait pas arrêté de foncer des vans aux boxes, des boxes à la carrière et de la carrière à la piste. De plus, la monitrice lui avait demandé d'aider les cavaliers débutants à monter, et elle avait dû ajuster une centaine de paires d'étriers. Elle avait même été obligée de régler des conflits entre les parents des petits concurrents !

Quand son tour de monter était enfin arrivé, elle avait l'impression d'avoir déjà couru un marathon ! Et elle faillit exploser lorsque Hélène lui avait annoncé qu'elle devait monter l'abominable Checkmate, car Apollo, sur lequel elle s'était entraînée, boitait depuis la veille. Checkmate, l'un des poneys les plus caractériels du club, n'était pas dans un bon jour. Non seulement il avait refusé un obstacle, juste avant, mais il avait pris la fuite quand il avait reçu un coup de cravache de sa cavalière parce qu'il ruait.

Margaux donna une tape à son amie :

— La Terre à Laurie ! À quoi tu penses ?

— À rien d'intéressant.

— Si je ne te connaissais pas, j'aurais pu croire que tu t'exerçais à la télékinésie, la taquina Mélanie.

— Dans ce cas, ça ferait belle lurette que je me serais débarrassée de toi ! Si tu veux savoir, je pensais au jour où Diane Rockwell est venue à mon club.

Margaux se pencha vers elle, les yeux brillant de curiosité :

— Tu ne nous as jamais raconté comment tu avais obtenu ta bourse. Vas-y !

Laurie aurait voulu ravaler ses paroles. Quelle idée de parler de Diane Rockwell ! Mais c'était trop tard.

— Oh, il n'y a pas grand-chose à dire, prétendit-elle. Mme Rockwell passait dans le village, et elle a vu les affiches annonçant le concours. Elle connaissait la propriétaire du club. Je crois qu'elles s'étaient entraînées ensemble autrefois. Bref, elle m'a vu sur un poney qui s'était mal comporté à son passage précédent, et j'ai eu la chance d'arriver à le contrôler. Et c'est ça qui l'a impressionnée, je crois, finit-elle en tripotant sa fourchette.

En fait, le commentaire exact de Diane Rockwell avait été le suivant : « Tu l'as monté à la perfection, avec la fermeté et la sensibilité qu'il fallait. Cela témoigne d'une maturité étonnante à ton âge, qui, si j'ai bien compris, n'est pas due à l'entraînement que tu as reçu jusqu'à présent. »

Laurie se souvenait exactement de chaque mot ; mais il n'était pas question de les répéter à ses amies ! Elle s'était finalement classée deuxième au concours, derrière son ami Caleb. Mais Diane Rockwell se moquait des rubans, lui avait-elle confié. Dans la foulée, elle lui avait demandé de présenter sa candidature à la bourse qui portait son nom. Laurie frissonna en se souvenant de la joie de Caleb à cette nouvelle, qui lui avait fait encore plus plaisir que de gagner la coupe.

— À t'entendre, on croirait que c'était un coup de chance ! Mais tu as dû passer une autre sélection, non ? insista Pauline.

— On m'a fait venir ici, et j'ai sauté avec Snapdragon et Shamrock. Ensuite, nous avons déjeuné à la cafétéria. Après, j'ai fait un peu de dressage et j'ai passé un petit examen en fin d'après-midi. Je n'y connaissais rien en dressage. Heureusement, Gandalf savait tout faire les yeux fermés ! Et, pour finir, j'ai eu un entretien avec Mme Starling.

Toutes les filles poussèrent un cri d'horreur.

— Mon père était venu me soutenir moralement. Le problème, c'est qu'il avait encore plus le trac que moi...

Elle revit son père buvant son thé, mal à l'aise, dans le bureau de la directrice. Il s'était un peu détendu quand Annie Carmichael leur avait fait visiter les écuries, mais pas au point de retirer sa veste, alors qu'il faisait une chaleur étouffante. Elle regretta qu'il ne fût pas là en ce moment pour voir combien elle était heureuse.

— Attention ! L'équipe électorale Harrison à douze heures ! annonça Margaux à voix basse.

En effet, Audrey fonçait sur elles, suivie de Patty, les bras chargés de paquets de tracts. Quant à Y Lan et à Jessica, elles allèrent s'accouder au comptoir pour commander leur déjeuner, considérant apparemment qu'elles avaient rempli leur part du contrat.

Mélanie leva le bras quand Audrey arriva devant elles :

— Inutile de gaspiller ta salive. Nous connaissons toutes ton programme par cœur.

— Mince ! s'exclama Margaux en louchant sur les tracts. Tu as décimé combien de forêts équatoriales pour ta campagne ?

— Bon, les filles, je suis en train de pointer les voix considérées comme assurées, rétorqua Audrey sans se démonter. Je peux compter sur les vôtres ?

— Je croyais qu'on était censées voter à bulletin secret, fit Pauline.

— Ça ne t'empêche pas de dire si tu votes pour moi !

— J'invoque le droit au respect de la vie privée, souffla Mélanie à Margaux.

— Audrey, il faudrait y aller, intervint Patty. Tu dois t'adresser aux internes du dortoir Granville dans cinq minutes.

— Je sais que vous ferez toutes le bon choix ! lança Audrey avant de se diriger vers la sortie, non sans avoir jeté quelques prospectus sur leur table.

— Le bon choix pour l'environnement, ce serait déjà de bannir la distribution de tracts, marmonna Margaux.

— Ne sois pas injuste ! Elle a promis qu'on aurait du savon bio dans les salles de bains, lui rappela Laurie.

— Ça, si ce n'était qu'une question d'argent, elle gagnerait haut la main ! remarqua Alexandra.

— Moi, j'attends de voir la soirée de Halloween pour me décider, déclara Mélanie.

Toutes les candidates à l'élection participaient à l'organisation de cette fête. Audrey criait déjà sur tous les toits que ce serait la plus belle qu'on ait jamais vue à Chestnut Hill.

— J'espère seulement qu'Audrey sera trop occupée par ses préparatifs pour accaparer Nat, fit Margaux. Vous avez vu comme ses yeux se sont allumés quand elle a appris que les garçons de Saint Kit venaient ?

— Ne lui montre surtout pas que ça te contrarie, lui conseilla Laurie. Ça l'encouragerait !

Elle se tut, craignant soudain que Margaux ne lui demande si elle avait eu des nouvelles de Caleb. À son grand soulagement, son amie se lança dans une longue discussion sur les mérites respectifs des autres candidates.

Ses pensées la ramenèrent à Caleb. Ils n'avaient jamais

manqué de sujets de conversation quand ils étaient au club d'équitation, l'été passé, mais elle n'avait pas la moindre idée de ce qu'elle pourrait lui dire si elle le croisait à cette soirée.

Après le brunch, Laurie décida qu'elle avait juste le temps de passer voir Tybalt à l'écurie avant de prendre le minibus pour se rendre en ville.

Dès qu'elle arriva au bout de l'allée, Hardy passa la tête par-dessus sa porte.

— Tiens, c'est pour toi ! dit-elle en lui donnant la moitié d'un petit pain croustillant.

Hardy prit doucement le morceau dans sa paume et lui donna un coup de tête pour avoir le reste.

— Désolé, mon grand, c'est pour ton nouveau copain d'écurie.

Elle remonta l'allée jusqu'à la stalle de Tybalt. Le poney se tenait toujours dans le fond ; il coucha les oreilles quand il la vit. Elle remarqua qu'il avait à peine touché à son fourrage.

Elle lui montra le petit pain.

— Tu n'as pas faim ?

Tybalt tendit le cou vers elle, mais quand il s'aperçut qu'il était trop loin il détourna la tête.

— Allez, mon grand ! insista Laurie sans bouger du seuil.

Ses escarpins n'étaient pas les chaussures idéales pour marcher dans la paille... Elle lança le pain dans sa mangeoire :

— Tu n'auras qu'à te servir quand tu seras décidé !

Alors qu'elle pivotait pour repartir, elle entendit un crissement et vit le poney plonger la tête dans la mangeoire et prendre le pain.

« Tiens, tiens ! Il n'est pas aussi indifférent aux gâteries qu'il voudrait le faire croire ! »

Laurie sourit, convaincue qu'avec un peu de patience elle finirait par l'amadouer.

Margaux était déjà montée dans le minibus quand elle arriva.

— J'ai cru que tu avais changé d'avis ! Que tu avais tout ce qu'il te fallait pour ton costume !

— Ou que tu avais décidé de te déguiser en Ève, avec juste une feuille de vigne ! enchaîna Mélanie, qui était assise derrière elles. Et que le garçon craquant qu'on a croisé à la conférence se déguiserait en Adam.

Laurie se sentit devenir écarlate.

— C'est dommage que je n'y aie pas pensé plus tôt, plaisanta-t-elle, toujours décidée à leur cacher qu'elle n'avait pas les moyens de s'offrir un costume.

« J'aurais dû racheter une tenue d'équitation d'occasion à Mme Carmichael, songea-t-elle avec regret alors que le minibus s'engageait sur la route. Papa a beau me répéter que l'argent ne fait pas le bonheur, ça facilite quand même sacrément la vie ! »

# 13

Quand les filles descendirent de la navette devant le centre commercial, au lieu de s'éparpiller, comme d'habitude, dans toutes les directions, elles se dirigèrent ensemble vers le magasin de déguisements.

— On monte au dernier étage pour notre essayage ! annonça Audrey en consultant sa montre.

— Pourquoi tu es si pressée ? demanda Margaux. Tu n'arrêtes pas de regarder l'heure !

Audrey et Patty échangèrent un sourire énigmatique.

— On ne veut pas être en retard à notre rendez-vous, déclara Audrey. Mais inutile de venir avec nous. Rien ne nous oblige à rester par trois du moment qu'on est dans le même magasin ; le règlement n'en parle pas. Si vous voulez, on n'a qu'à se retrouver au café du dernier étage dans une heure !

— Oui, madame, marmonna Margaux pendant qu'elles s'éloignaient. Je vous en supplie, les filles, continua-t-elle en se retournant vers ses amies, promettez-moi de vous enfuir avec moi de l'école si jamais Mlle Harrison est élue présidente du conseil des élèves.

— Juré ! fit Laurie.

— Par quoi voulez-vous commencer ? demanda rêveusement Pauline en caressant un boa rose accroché à un mannequin.

— Si on allait voir les costumes en location ? proposa Alexandra.

— Bonne idée, approuva Margaux.

Laurie éprouva une pointe d'envie. Elle aurait adoré essayer des costumes. Elle s'écarta et fit semblant d'examiner un présentoir de perruques métallisées.

— Moi, je veux voir leur tenue de Zorro pour m'inspirer, déclara Mélanie. J'ai déjà les jambières et la veste à franges. Il me manque au moins le masque.

— Et moi, il faut que je trouve les accessoires pour ma tenue de Robin des Bois, dit Pauline.

— Je t'accompagne, fit Laurie.

— Si tu nous disais plutôt en quoi tu te déguises ? insista Margaux.

— Dépêche-toi au lieu de poser des questions ! Il ne te reste plus que cinquante-huit minutes.

Margaux fit la grimace tandis que Mélanie et Pauline l'entraînaient chacune par un bras.

Laurie se tourna vers Pauline :

— Alors, qu'est-ce que tu cherches exactement ?

— J'ai déjà une veste verte en daim et le short assorti. Mais il est un peu court. Il faudrait que je trouve des collants verts si je ne veux pas qu'on m'accuse d'attentat à la pudeur !

Laurie sourit amèrement en se demandant ce qu'il y aurait de plus choquant : porter un short trop court, ou ne pas avoir les moyens de se payer un déguisement ? Et si elle n'allait pas à cette soirée ?

Pauline la dévisagea :

— À quoi tu penses ?

— Je me disais que tu serais géniale.

— Nous serons toutes géniales !

— Oui, c'est ce que je voulais dire. C'est pas ça que tu cherchais ? demanda-t-elle en soulevant un carquois rempli de flèches, pressée de détourner la conversation.

— Bravo !

Pauline le mit dans son dos et prit la pose :

— Comment tu me trouves ?

— Va te regarder dans la glace.

— Non, tout à l'heure, quand j'aurai tous mes accessoires.

— D'accord. Moi, je cherche par là.

Laurie traversa le rayon des perruques et arriva aux chapeaux. Elle avisa tout de suite un feutre vert avec une plume jaune.

— J'ai trouvé un arc ! cria Pauline.

— Et moi, j'ai ton chapeau !

Elles se rejoignirent devant le miroir. Laurie posa le feutre de biais sur la tête de Pauline. Il mettait en valeur ses cheveux blonds et bouclés.

— Génial ! jubila Pauline.

— Il ne te manque plus que tes collants.

— Et toi, tu n'as besoin de rien ?

— Non, non. J'ai tout ce qu'il me faut.

Pauline hésita :

— Écoute, je ne voudrais pas me mêler de ce qui ne me regarde pas, mais je sais ce que ça coûte, un costume...

Laurie baissa les yeux vers le sol. « Pitié, ne me propose pas de me louer un déguisement ! » Il ne manquerait plus que ses amies la considèrent comme un cas social !

— Je t'assure que j'ai dû cogiter avant de trouver dans mes affaires de quoi me déguiser sans me ruiner, continua Pauline. Surtout que je n'ai pas les moyens de louer un costume.

— Ah bon ?

Laurie n'en revenait pas. Elle qui se croyait la seule à ne pas pouvoir assumer ce genre de dépenses !

— Tu parles ! On ne roule pas sur l'or, avec le salaire de prof d'université de mon père. Mes parents ont insisté pour m'inscrire dans cette école, mais ça représente un vrai sacrifice pour eux. Je ne leur ai même pas parlé de cette soirée. Ils s'en seraient voulu de ne pas me donner plus d'argent de poche.

— Je vois ce que tu veux dire, lâcha Laurie.

— Alors, si tu as besoin de quelque chose pour ce soir, je serai ravie de te financer personnellement.

— Merci beaucoup. Je vais réfléchir à ta proposition. Commençons déjà par trouver les collants ! Ensuite, on pourra peut-être aller prendre un café avec une brioche ?

— Excellente idée !

Laurie partit à la recherche des collants en espérant qu'elle parviendrait à échapper à la soirée aussi facilement qu'elle avait détourné cette conversation.

# 14

Laurie et Pauline portèrent leurs plateaux vers le fond du café et choisirent un box envahi par la végétation luxuriante imitant la jungle tropicale.

Au moment où elle mordait dans sa brioche, Laurie vit Margaux entrer dans la salle et regarder autour d'elle.

— Par ici ! l'appela-t-elle à grands gestes.

— Ben, dis donc ! J'aurais jamais cru qu'une fille aussi vive qu'Alexandra soit aussi longue à se décider, soupira Margaux en se laissant tomber sur la banquette. Et Mélanie qui n'arrête pas de l'embrouiller avec de nouvelles idées ! On risque de les attendre un moment.

— Tu as trouvé un costume ? demanda Laurie en désignant la grande housse et le sac allongé qu'elle venait de poser par terre.

Margaux afficha un sourire radieux :

— Vous le croirez jamais ! Je vais me déguiser en Wilma Pierrafeu !

— Cool ! dit Pauline.

— Trop drôle ! enchérit Laurie.

— Ah, je suis contente que ça vous plaise ! Attendez-moi, je vais chercher un milk-shake.

Laurie sourit en imaginant son amie en femme des cavernes armée d'une massue.

Pauline haussa les sourcils :

— Qu'est-ce qui t'amuse ?

— Avec ton arc et tes flèches, on va avoir un véritable arsenal !

— Ouais, il ne manquerait plus qu'Alexandra se déguise en Buffy de *Buffy contre les vampires*, et on serait parées à tout, s'esclaffa Pauline.

— Qu'est-ce qui vous arrive ? demanda Margaux en revenant.

— On se disait qu'on pourrait tenir un siège, au dortoir Adams, répondit Pauline. Mais... elles sont en avance ! s'exclama-t-elle en regardant derrière Margaux.

Celle-ci se retourna et vit entrer Audrey et Patty, les bras chargés des housses qui contenaient leurs déguisements. Elles n'aperçurent pas les trois amies derrière la végétation de leur box. Laurie fronça les sourcils en les voyant s'installer à deux tables différentes. Patty posa son costume et alla au comptoir pendant qu'Audrey consultait une fois de plus sa Rolex.

— Vous croyez qu'elle a un rendez-vous ? chuchota Pauline.

Margaux fronça les sourcils. « Pourvu que ce ne soit pas Nat ! songea Laurie en lisant dans ses pensées. Si Margaux revoit cette peste avec son cousin, elle serait bien capable de lui balancer un coup de massue ! »

Audrey ne quittait pas des yeux l'entrée du café. Soudain, son visage s'illumina et elle agita la main. Laurie suivit son regard. Ouf, ce n'était pas Nat ! Un grand blond portant la chemise de Saint Kit se dirigeait vers la table d'Audrey.

Elles le regardèrent tirer une chaise et s'asseoir face à elle en disant quelque chose qui la fit éclater de rire. Elle rejeta ses cheveux dans son dos d'un geste digne d'une publicité de shampoing.

— Vous croyez que c'est son petit copain ? murmura Margaux.

— En tout cas, ce n'est pas son frère, lâcha Laurie.

Elle fixa le jeune homme. Il était très mignon, et il semblait avoir des origines aussi aristocratiques que Bluegrass. « Il n'est pas aussi beau que Caleb », se surprit-elle à penser. Elle rougit à l'idée que Caleb allait peut-être venir à la fête, ce soir. « Non, je n'irai pas ! »

— Ça alors ! Il n'y a pas cinq minutes, elle flirtait avec Nat ! commenta Margaux, et Laurie sourit de sa solidarité familiale.

— Peut-être que c'est leur premier rendez-vous, intervint Pauline.

— On saura tout dans quelques heures, conclut Margaux.

Laurie poussa un soupir :

— Tu veux bien arrêter de gigoter que je finisse de te coiffer ?

— Désolée, je ne tiens plus en place. Tu te rends compte qu'il ne nous reste qu'une demi-heure avant notre premier bal officiel !

— Et moi, il ne me reste plus que trois pinces, alors ne bouge pas, ou je te les plante dans le crâne !

Une minute plus tard, Laurie recula pour juger de l'effet.

— J'ai fait de mon mieux ! Mais c'est pas évident d'imiter la coiffure de Wilma Pierrafeu... Enfin, côté couleur, tes cheveux sont parfaits.

Margaux appliqua une seconde couche de mascara sur ses cils et battit des paupières :

— Comment tu me trouves ?

— Attends ! Tu as oublié ton collier.

Laurie lui tendit le collier de pierres en papier mâché qui complétait sa tenue.

— Haut les mains ! s'écria Mélanie en faisant irruption dans la pièce.

Elle brandissait deux pistolets, et son visage était dissimulé par un masque de satin noir.

— Je te rappelle que Zorro n'était pas un méchant ! fit Margaux.

— Tu es sûre ? Mais... je vais m'ennuyer !

Elles éclatèrent toutes de rire.

Laurie contempla ses amies. Pauline était géniale en Robin des Bois ; Alexandra, qui avait choisi d'incarner Pocahontas, avait revêtu une robe à franges et complétait son déguisement en se dessinant des peintures de guerre à l'eye-liner noir.

— Et toi, Laurie ? demanda Margaux. Qu'est-ce que tu attends pour te préparer ?

Laurie s'assit sur le lit :

— Juste que vous soyez parties.

— Non, on y va toutes ensemble.

— Sinon, comment veux-tu qu'on fasse une entrée remarquée ? enchaîna Mélanie, les mains sur les hanches.

— Allez ! insista Margaux. On te promet de ne pas regarder, si tu veux nous faire la surprise.

Laurie se mordilla la lèvre. Le moment était venu de passer aux aveux.

— Il n'y a pas de surprise. Je ne viens pas. Ce n'est vraiment pas mon truc, les bal masqués, ajouta-t-elle avec un petit sourire forcé. Alors, prenez l'appareil de Mélanie et rapportez-moi plein de photos, d'accord ?

— Tu plaisantes, j'espère ? protesta Mélanie. Il n'en est pas question !

— Tant pis. Il y aura bien quelqu'un qui en prendra.

— Ce n'est pas de ça que je parle ! Si tu crois qu'on va te laisser toute seule ici, tu te mets le doigt dans l'œil ! déclara Pauline. N'est-ce pas, les filles ?

— Absolument ! acquiesça Margaux en se laissant tomber sur le lit. Si tu n'y vas pas, je reste avec toi, quitte à passer la soirée à te taper dessus avec ma massue.

— Ah non, tu vas y aller ! s'écria Laurie.

Elle qui ne voulait pas que ses amies la prennent en pitié ou se privent de s'amuser à cause d'elle... C'était raté !

— On peut facilement résoudre le problème, intervint Alexandra. Il suffit de lui dégoter un costume.

— J'ai une idée ! s'exclama Pauline en brandissant son livre d'histoire sur les civilisations anciennes.

— Je m'oppose à ce qu'on la déguise en momie ! protesta Margaux. Ou en quoi que ce soit d'autre qui implique l'usage de papier toilette.

— Non, je pensais à un personnage plus sophistiqué et plus... vivant !

Pauline regardait Laurie, songeuse. Elle se tourna ensuite vers Mélanie et claqua des doigts :

— Mélanie, tu veux bien prêter ton drap pour la bonne cause ?

— Prends-le !

Laurie vit comme dans un brouillard Pauline arracher le drap blanc, puis l'en envelopper comme si elle était un mannequin.

— Je pensais à une Égyptienne, plutôt glam...

— Cléopâtre ! s'exclama Alexandra. Oh, Laurie, ça te va trop bien !

Gagnée par leur enthousiasme, Laurie éclata de rire tandis que ses amies s'affairaient autour d'elle.

— Bon, il nous faut un haut et un short blancs, annonça Pauline.

Alexandra fournit aussitôt les sous-vêtements adéquats, que Laurie enfila sans plus protester.

— Poussez-vous, que je laisse libre cours à mon génie ! s'écria Mélanie en écartant tout le monde, armée d'un peigne et d'une bouteille en mousse.

— Attends, il faut d'abord finir avec la robe, l'arrêta Margaux.

Les quatre filles arrangèrent le drap autour des épaules et de la taille de Laurie. Puis elles le ceinturèrent d'une cordelette dorée récupérée sur un cadeau que Mélanie avait reçu de sa grand-mère.

« Cendrillon peut aller se rhabiller ! Moi, j'ai quatre marraines », songea Laurie, tandis que ses amies s'agitaient autour d'elle en cherchant des accessoires.

— Ma chérie, tu es fa-bu-leuse ! jubila Mélanie en lui crêpant énergiquement les cheveux pour leur donner du volume.

Pauline fouilla dans le sac de maquillage de Margaux et en extirpa un eye-liner bleu nuit :

— Ne t'inquiète pas. Je suis une pro !

Laurie se laissa faire. De toute façon, elle n'avait pas son mot à dire : ses amies étaient déterminées à l'emmener coûte que coûte.

# 15

Elles entendirent résonner la basse de la sono bien avant d'arriver au gymnase. Des éclats de lumière colorés illuminaient les fenêtres. Laurie tripota nerveusement la broche qui retenait le drapé sur son épaule.

— Tu es magnifique ! la rassura Margaux.

— Merci, les filles, murmura Laurie, émue.

Elle avait du mal à s'habituer à son look de pharaonne. Margaux lui avait raidi les cheveux en vidant dessus un flacon entier de mousse ; puis elle lui avait fait trois petites tresses de chaque côté pour accentuer sa ressemblance avec la Cléopâtre de Liz Taylor. Pauline avait souligné ses yeux d'un long trait d'eye-liner qui s'étirait jusqu'aux tempes.

Elle lui avait ensuite prêté des sandales en strass, et Margaux lui avait trouvé un gros collier et des joncs dorés qui cliquetaient à son poignet. Pour parachever le tout, Mélanie avait dessiné à l'eye-liner des hiéroglyphes sur le haut de ses bras.

Pauline s'arrêta devant les portes grandes ouvertes décorées de guirlandes et de ballons noirs qui se balançaient dans la brise :

— Prêtes ?

— Et comment ! répondit Mélanie.

Elles s'engouffrèrent dans le couloir qui menait à la grande salle ; il était éclairé par des lanternes-citrouilles posées sur l'appui des fenêtres.

Mlle Marshall parlait devant la porte avec un professeur de Saint Kit.

— Bonsoir, mesdemoiselles, dit-elle. Vous êtes splendides !

Laurie sourit, sidérée de voir la surveillante du dortoir Adams en blouson de motarde et pantalon de cuir moulant.

Dans la salle, les stroboscopes éclairaient par intermittence une douzaine de silhouettes d'un blanc fantomatique. Partout où Laurie posait les yeux, ce n'était que costumes à donner la chair de poule. Elle recula pour laisser passer un personnage encapuchonné qui portait une faux.

— Si on allait chercher des sodas ? proposa Margaux, sa massue sur l'épaule.

Au fond de la salle, on apercevait deux longues tables couvertes de mets et de boissons.

Laurie vit le sosie de Morticia Adams qui agitait la main dans leur direction.

— Y Lan nous a gardé une table !

Tandis qu'elle s'arrêtait devant le buffet pour se servir un soda, Laurie chercha Caleb dans la salle. Elle ne savait même pas s'il la saluerait. Elle ne s'était pas montrée très sympa à la conférence...

— Oh, visez un peu Audrey et Patty ! souffla Margaux, manquant de renverser son verre.

Laurie dut reconnaître qu'Audrey faisait de l'effet dans son justaucorps en Lycra et son masque de chat aux moustaches frémissantes.

— Je suis sûre qu'elle a fait mouler son costume sur elle, chuchota-t-elle.

Elle tourna alors les yeux vers Patty et se figea en découvrant la perruque brune et raide, le bracelet en forme de serpent et la longue robe blanche serrée à la taille par une superbe ceinture dorée... Elle s'était travestie en Cléopâtre, elle aussi !

— Oh non ! gémit-elle. Laissez-moi sortir !

— Mince ! s'écria Mélanie.

— Ce n'est pas ta faute, remarqua Margaux.

— N'empêche, elle va me tuer !

— Bon, les filles, je crois que Laurie a besoin de notre aide, annonça gaiement Margaux en agitant les mains.

Laurie serra les dents, s'attendant au pire.

— Dortoir Adams, en formation ! lança Mélanie d'un ton d'adjudant-chef, sans doute emprunté à son militaire de père.

Étouffant un fou rire, Alexandra, Pauline, Margaux et Mélanie se prirent par les épaules pour former un mur autour de Laurie, puis elles s'avancèrent vers la table de Jessica et Y Lan.

— Merci, les filles, souffla Laurie en s'asseyant. Je parie qu'Audrey et Patty vont croire que je l'ai fait exprès !

— Fait quoi ? demanda Jessica.

— Laurie a le même déguisement que Patty, répondit Mélanie.

— Et le pire, c'est qu'il lui va beaucoup mieux, gloussa Margaux.

— C'est parce que le nôtre est bien plus créatif, renchérit Pauline, qui réussit à faire sourire Laurie.

— Eh ben... Tu viens de commettre un crime de lèse-majesté, déclara Y Lan en secouant la tête. J'espère que tu as un bon avocat.

— Oh, arrête ! C'est tout de même moins grave que de cafter Margaux ! rétorqua Mélanie.

Laurie tressaillit. Ça faisait longtemps qu'elles ne cherchaient plus à savoir qui avait pu dénoncer leur amie, la nuit où elle avait été surprise sur le parcours d'obstacles avec Morello, à la suite d'un pari stupide avec Audrey [1]. Comme elle avait réussi à intégrer l'équipe de saut quinze jours plus tard, elles avaient oublié qu'il y avait une moucharde parmi elles.

— Au fait, toujours pas de piste ? demanda Mélanie.

Jessica prit une gorgée de punch :

— Inutile de me poser la question. Moi, j'étais convaincue que c'était Audrey, jusqu'à ce qu'elle jure de

1. Lire tome 1, *La rentrée*.

son innocence. Malgré ses défauts, je ne pense pas que ce soit une menteuse.

Laurie n'en était pas si sûre. En revanche, elle avait la certitude que ce n'était aucune des filles assises autour d'elle. Ce qui laissait encore pas mal d'élèves dans les rangs des suspects...

— On ne le saura peut-être jamais... murmura Pauline. Je préfère croire que c'est une fille d'un autre dortoir.

— Tu as raison, l'approuva Margaux, le visage serein. Moi, je préfère carrément ne pas savoir qui c'est.

— Alors, qu'est-ce qu'on attend pour aller danser ? demanda Mélanie. On ne va pas se cacher toute la soirée ! Et je ne suis pas du style à faire tapisserie !

Les filles se ruèrent sur la piste à la suite de Zorro et Wilma Pierrafeu.

— Nat !

Margaux jeta les bras autour du cou d'un garçon costumé en squelette.

Nat se retourna et sourit à Laurie. Elle le trouva toujours aussi craquant, même le visage peint en blanc.

— Super, vos déguisements ! les félicita-t-il.

— Vous avez vu, les filles ? souffla Pauline. Audrey danse avec le garçon de tout à l'heure !

Laurie suivit son regard et reconnut le blond de la cafétéria, déguisé en Indiana Jones.

Mélanie se tourna vers Nat :

— Tu le connais ?

— C'est Jason Williams, le goal de l'équipe de hockey. Un mec super sympa.

— Alors, qu'est-ce qu'il fiche avec elle ? s'étonna Mélanie.

— Tu viens danser avec nous, Nat ? proposa Margaux à son cousin.

— Je voudrais d'abord manger un morceau. On fait un crochet par le buffet ?

Le petit groupe se dirigea vers les tables.

Laurie inspectait les desserts lorsqu'elle vit Audrey, Patty et Jason venir dans sa direction. Elle serra les dents.

— Salut, les filles ! lança Audrey d'une voix sirupeuse, comme si elles étaient les meilleures amies du monde. Je vous présente mon petit ami, Jason. Nos mères font du bénévolat ensemble.

Laurie attendait, la gorge nouée par l'angoisse, qu'Audrey et Patty remarquent son costume. Mais Patty n'arrêtait pas de se retourner comme si elle cherchait quelqu'un.

— Ne t'inquiète pas, il va arriver, la rassura Audrey. Viens plutôt goûter le punch. C'est une recette que ma mère a eue au Hilton.

« Y a-t-il un seul détail de cette fête dont elle ne se soit pas mêlée ? » songea Laurie, agacée.

— Je parie qu'elle a arrangé une rencontre entre Patty et un copain de Jason, chuchota Margaux alors qu'ils continuaient de longer le buffet. En parlant de rencontre, Nat, tu sais s'il y a des garçons de quatrième qui viennent ce soir ?

— Margaux ! protesta Laurie, devinant où son amie voulait en venir.

— Comment veux-tu que je le sache ? répliqua Nat, perplexe. Tu attends quelqu'un en particulier ?

— Un des garçons qui t'accompagnaient l'autre jour en ville, Caleb... je ne sais plus comment...

— Laisse tomber ! s'énerva Laurie. Je l'ai à peine croisé l'été dernier !

Sur ce, elle plongea la louche dans le grand bol de punch et remplit un verre. Elle but une gorgée et fit la grimace en manquant d'avaler quelque chose qui n'était ni un morceau de fruit ni un glaçon.

C'était piquant... avec de petites pattes dures ! Quelle horreur ! L'une des araignées en plastique qui décoraient le tour du bol avait atterri dans son verre. Elle essayait de la repêcher lorsqu'un garçon déguisé en pirate surgit devant elle en agitant un crochet noir :

— Tu veux de l'aide ?

— Oui ! C'est mieux qu'un couteau suisse ! gloussa-t-elle en lui tendant son verre.

Il retira le bandeau de son œil et remonta son chapeau afin de mieux voir. Une mèche de cheveux sombres tomba sur son front tandis qu'il se penchait.

Le cœur de Laurie manqua un coup. Caleb ! Pourquoi fallait-il qu'il débarque toujours au moment où elle se trouvait dans une situation ridicule ? Elle détestait jouer les demoiselles en détresse !

Caleb finit par sortir l'araignée au bout de son crochet et sourit à Laurie.

— Il aurait peut-être été plus facile de l'attraper avec les doigts... Et sans doute plus propre, ajouta-t-il en fronçant le nez.

Laurie adorait lui voir cette expression.

— Je parie que c'est elle qui t'a suggéré d'aller chercher du punch, hein ? poursuivit-il en faisant un geste du menton dans la direction d'Audrey.

Laurie fronça les sourcils : qu'est-ce qu'il voulait dire ?

— Tu sais, je n'aime pas trop ces rencontres arrangées, continua-t-il en rejetant l'araignée dans le bol. Enfin, quoi qu'il en soit, ton costume est superbe. Ça te va super bien, le style Cléopâtre. Audrey m'a dit que tu avais loué le dernier déguisement qu'il restait au magasin.

Laurie sursauta : il la prenait pour Patty ! C'était avec lui qu'Audrey avait organisé le rendez-vous pour sa copine ! Elle se força à sourire, à la fois très embarrassée par ce malentendu et profondément vexée que Caleb ne l'eût pas reconnue.

— Audrey ignore en quoi je me suis déguisée, dit-elle.

Ce fut au tour du garçon d'être surpris.

— Et elle ne m'a pas envoyée chercher du punch, reprit-elle en insistant sur chaque mot. Je suis Laurie O'Neil, je montais à la Chênaie, l'été dernier, tu te souviens ?

Les yeux bleus de Caleb s'écarquillèrent :

— Mince !

Les joues écarlates, il fixa le sol quelques secondes en se mordillant la lèvre avant de relever les yeux.

— Je... je suis désolé, Laurie. Tu es méconnaissable ! C'est à cause de ton maquillage, bégaya-t-il en laissant tomber son chapeau.

Alors qu'il se baissait pour le ramasser, Laurie vit Patty venir dans sa direction. Il y aurait bientôt une Cléopâtre de trop ! Elle préféra déguerpir.

— Laurie ! l'appela Margaux depuis la table où s'était installée leur petite bande.

Laurie se laissa tomber sur la chaise à côté de son amie et enfouit son visage entre ses mains :

— Dis-moi que je rêve !

— Qu'est-ce qui t'arrive ? Caleb vient te parler, et toi, tu t'enfuis ? Tu es folle ou quoi ?

— Il m'a prise pour Patty ! Il ne se souvenait même pas de moi !

— Impossible ! C'est juste qu'il ne t'a pas reconnue. Tu es déguisée, souviens-toi !

— Oui, il ne t'a sans doute jamais vue aussi bien habillée, enchérit Mélanie.

— Merci, Mélanie. Ça me console vraiment !

— Arrête, tu sais parfaitement ce qu'elle a voulu dire ! Je doute que tu sois jamais allée au club hippique en toge.

Laurie se retourna vers le buffet et regarda Audrey et Jason rejoindre Caleb et Patty. Margaux pouvait dire ce qu'elle voulait, ils formaient vraiment deux beaux couples. Et elle n'avait jamais vu Patty sourire autant.

Elle repoussa sa chaise :

— On va danser ?

Sans attendre Margaux et Mélanie, elle se fraya un chemin parmi les danseurs jusqu'à ce qu'elle se sente suffisamment cachée dans la foule. Quelle soirée !

Laurie scruta la salle à la recherche de Caleb. Elle aperçut Patty, qui dansait avec Audrey et Jason, mais lui avait disparu. Elle se sentit à la fois déçue de ne pas le voir, et soulagée qu'il ne soit pas resté avec Patty.

— Viens, Laurie ! cria Margaux en la tirant par le coude. J'adore ce morceau.

Tout en dansant avec ses amies, Laurie se dit que la soirée se terminait très bien. C'était inespéré ! Personne ne lui avait reproché d'avoir copié le costume de Patty, et elle avait parlé avec Caleb. « Bon, d'accord, il m'avait prise pour une autre, mais c'est déjà un début ! » conclut-elle avec optimisme.

# 16

Laurie frotta sa semelle contre le sol de la carrière. Elle avait la bouche aussi sèche que le sable sous ses bottes. Le cours du groupe intermédiaire s'était achevé plus tôt, car Mme Carmichael avait décidé de sortir Tybalt de l'écurie pour le faire monter. La jeune fille ne comprenait pas très bien pourquoi leur instructrice voulait faire cette première sortie en public.

Lorsqu'elle avait remis Hardy dans son box à la fin de la leçon, elle n'avait pas pu résister à l'envie d'aller jeter un coup d'œil à Tybalt. Il se tenait au fond de son box, déjà sellé. Il semblait très crispé et roulait les yeux, l'air inquiet.

— Les voilà ! cria Mélanie depuis la porte avant de courir rejoindre Laurie. Tu as pensé à coudre du Velcro au fond de ton pantalon, j'espère ! Tu vas en avoir besoin !

— Qui a dit que ce serait elle qui le monterait ? protesta Audrey en tapotant sa botte de la pointe de sa cravache. Il n'est pas à elle !

La discussion fut interrompue par l'arrivée de Mme Carmichael, qui menait Tybalt. Laurie vit qu'il transpirait ; il coucha les oreilles en franchissant la porte.

« Accroche-toi, mon grand ! l'encouragea-t-elle mentalement. Si tout se passe bien, tu n'auras plus à chercher un nouveau foyer. »

— J'imagine que la plupart d'entre vous sont impatientes de l'essayer, alors j'ai pensé qu'il valait mieux tirer au sort, annonça Mme Carmichael. Pauline, près de la porte il y a un chapeau rempli de petits papiers. Tu peux en piocher un, s'il te plaît ?

— Il a l'air d'avoir un bon pedigree, commenta Audrey.

— Et nous savons toutes combien c'est important ! ironisa Margaux.

Mais, pour une fois, Laurie approuvait Audrey. Tybalt avait fière allure avec sa tête haute et sa queue qui frisait légèrement.

— Je dirais qu'il a du pur-sang anglais avec une touche d'arabe, continua Audrey en observant son profil concave. Il semble assez sûr de lui. Il a besoin d'une cavalière qui sait monter un cheval nerveux !

Mélanie leva les yeux au ciel :

— Heureusement que tu es là ! Nous, on n'aurait pas su faire !

Pauline plongea la main dans le chapeau. « Pourvu que ce soit mon nom ! » pria intérieurement Laurie en la regardant remuer les papiers. Elle retint son souffle tandis que Pauline en sortait un et le dépliait.

— Audrey ! annonça Pauline.

Laurie sentit la déception lui vriller le cœur. Pourquoi fallait-il que ce soit Audrey, en plus ?

— Désolée, murmura Margaux en lui pressant gentiment le bras.

Laurie essaya de se raisonner : Audrey était une excellente cavalière. Et son analyse de la personnalité de Tybalt ne manquait pas de justesse.

Audrey s'approcha du poney, glissa son pied dans l'étrier et se mit en selle. Tybalt avança, les oreilles toujours couchées. Audrey raccourcit les rênes et le poussa au trot. Il baissa le nez, donnant l'impression qu'elle le contrôlait. Mais à la vue de son cou raide, des rênes trop tendues, Laurie planta ses ongles dans ses paumes, inquiète.

— Relâche les rênes, Audrey ! ordonna Mme Carmichael.

La cavalière avança légèrement les mains, mais elle semblait plus chercher à maîtriser sa monture qu'à lui laisser trouver son propre rythme.

Au bout de quelques cercles, elle engagea Tybalt sur la ligne médiane et passa du trot enlevé au trot assis, le regard fixé droit devant elle. Arrivé au centre de la carrière, le poney vira subitement vers la porte. Audrey laissa échapper un sifflement de colère et appuya sa jambe contre son flanc tout en tirant la rêne. Comme Tybalt résistait, elle prit les rênes d'une main et lui donna un coup de cravache.

Laurie vit un éclair de folie traverser le regard du hongre. Baissant la tête, il projeta Audrey en avant et, sans lui laisser le temps de retrouver son équilibre, décocha une ruade. Elle glissa sur son encolure. Alors, d'un écart sur le côté, il l'éjecta. Elle tomba lourdement sur le sol. On n'entendit plus un bruit. Puis toutes les filles se précipitèrent vers la cavalière tandis que Tybalt fonçait se réfugier à l'autre bout de la carrière.

Bouleversée, Laurie le vit s'arrêter près de la porte, tremblant des pieds à la tête. Elle aurait couru le réconforter si elle n'avait pas eu peur de le perturber davantage.

— Ça va ? Tu ne t'es pas fait mal ? demandaient les élèves assemblées autour d'Audrey.

— Non, non, ça va.

Elle se releva et brossa de la main le sable collé à son jodhpur. Elle était dans une colère noire.

— Cet animal est dangereux ! glapit-elle. Il n'a rien à faire à Chestnut Hill !

— Calme-toi, Audrey, fit Mme Carmichael. Laurie, tu veux bien attraper Tybalt ? Je voudrais l'examiner.

D'une main tremblant de rage, Audrey retira sa bombe et rejeta ses cheveux en arrière.

— Je peux vous dire que Liz Mitchell n'aurait jamais acheté un tel canasson ! beugla-t-elle. Il est inmontable ! J'ai bien fait d'amener mon poney ! Ce n'est pas sur un tocard pareil qu'on risque de battre Allbrights !

Sur ces mots, elle sortit du manège en fouettant l'air de sa cravache.

Laurie la regardait partir, le souffle coupé : elle n'en revenait pas qu'elle eût osé parler sur ce ton à la responsable de la section.

— Laurie, tu peux ramener Tybalt à son box. Quant aux autres, le cours est terminé. J'ai deux mots à dire à Mlle Harrison, annonça Annie Carmichael calmement avant de suivre Audrey.

Laurie hocha la tête et attendit qu'elle soit partie avant de se retourner vers Tybalt.

Margaux brisa le silence :

— J'espère qu'elle va lui montrer une façon plus originale d'utiliser sa cravache.

Elle venait d'exprimer exactement ce que Laurie pensait. Mais peu importait cette prétentieuse ; c'était Tybalt qui l'inquiétait.

Elle s'approcha lentement du hongre. Il coucha les oreilles, prêt à détaler de nouveau. Elle pivota pour lui présenter le dos et avança vers lui à reculons. Elle fit un pas, puis un autre... Arrivée près de lui, elle saisit ses rênes avant de se retourner. Tybalt laissa échapper un soupir comme s'il relâchait toute sa tension.

— Sage ! murmura Laurie en recoiffant sa crinière. Tout va bien aller. Je te promets.

Elle soupira à son tour. Certes, Audrey avait dépassé les bornes. Mais Tybalt avait très mal réagi, lui aussi. Dès que Mme Carmichael aurait remis les pendules à l'heure avec Audrey, le tour du poney viendrait...

Laurie fixa une couverture refroidissante sur le dos de Tybalt et en ajouta une plus petite par-dessus. Bien qu'elle l'eût frotté et épongé, il continuait à transpirer.

Il fixait le mur de son box, l'air abattu. Laurie aurait préféré le voir agité et hargneux. Or il semblait déstabilisé, et effrayé : il savait qu'il avait fait une bêtise. Elle passa la main sur son dos avant de lui tendre un cube de luzerne. Il le prit, mais au lieu de le manger il le laissa tomber par terre.

Le visage de Margaux apparut au-dessus du portillon :

— Comment va-t-il ?

— Mal. Il est encore plus tendu qu'avant.

— Peut-être que ça ira mieux la prochaine fois. Peut-être que... qu'il a juste besoin de passer un cap.

Laurie sourit à son amie, touchée de la voir jouer les psy :

— Je l'espère.

— Moi aussi. Parce que, s'il ne change pas bientôt, Tante Annie devra le ramener, ajouta Margaux. Elle ne peut pas se permettre d'entretenir un cheval inutile, aussi beau soit-il.

Laurie s'appuya contre le flanc de Tybalt, accablée. Sa ressemblance avec Zanzibar n'avait plus d'importance ; elle l'aimait pour lui-même. Et elle n'osait imaginer ce qu'il deviendrait si on ne le gardait pas à Chestnut Hill. Oui, elle était convaincue que cette écurie était son dernier espoir !

Laurie se rhabillait en vitesse dans le vestiaire du gymnase, se préparant à courir à travers le campus pour arriver à l'heure au cours d'espagnol. Une porte claqua dans le couloir, et elle entendit la voix d'Audrey qui s'adressait à leur professeur d'E.P.S. :

— Pas de problème, mademoiselle Feist. Je vais juste demander la permission à Mme Carmichael de manquer le cours d'équitation de vendredi. Je suis sûre qu'elle comprendra.

— Il me faudra son autorisation écrite avant de t'inscrire à la sélection pour l'équipe de hockey, l'avertit Mlle Feist. Jeudi au plus tard.

Laurie sursauta. « Qu'est-ce qu'elle mijote encore ? Elle ne peut pas se présenter au hockey, elle fait déjà partie de l'équipe d'équitation ! Le règlement interne interdit bien d'intégrer deux équipes de compétition la même année ! »

Elle attrapa son sac et se rua hors des vestiaires.

— Audrey ! Attends-moi ! cria-t-elle. Dis, tu ne penses pas sérieusement te présenter pour la sélection de hockey ?

Audrey haussa un sourcil dédaigneux :

— Je ne me souviens pas avoir parlé de mes projets personnels avec toi.

— Mais on est en plein entraînement pour notre prochain concours ! C'est dans quinze jours !

— Je sais. Je peux t'assurer que Blue et moi sommes parfaitement préparés, contrairement à d'autres... Je te signale que j'ai droit de faire partie d'autant d'équipes que je veux. Comme mes sœurs. Elles ont tellement bien réussi qu'aucune équipe n'osera me refuser. Et, de toute façon, ajouta-t-elle en toisant Laurie de la tête aux pieds, je ne te dois aucune explication.

Sans lui laisser le temps de répondre, Audrey tourna les talons.

Laurie secoua la tête : en plus, Audrey venait d'être élue représentante des juniors au conseil des élèves. Comment allait-elle faire face à toutes ces obligations ?

Laurie se blottit sur un canapé avec un article sur les méthodes de Laura Fleming. Elle l'avait déjà lu une bonne douzaine de fois, mais elle espérait y trouver quelques tuyaux qui aideraient Tybalt.

Margaux et Mélanie avaient défié Pauline et Alexandra au ping-pong, à l'autre bout du foyer, et, à entendre leurs cris, ces deux dernières menaient. Elle sourit, amusée, à la différence d'Audrey et Patty, qui rentraient à ce moment-là, et qui levèrent les yeux au ciel devant ce chahut.

Elles vinrent s'asseoir sur le canapé en face de Laurie sans lui prêter la moindre attention.

— Alors, comment tu vas t'habiller samedi ? demanda Audrey. Je te conseillerais un haut un peu classe avec un bas décontracté, style jean, pour que Caleb ne soit pas trop impressionné dès le premier rendez-vous.

Laurie faillit s'étrangler : Patty et Caleb sortaient ensemble. Elle fixa la page de son journal, mais les lettres se brouillèrent sous ses yeux. Brusquement, Laura Fleming ne l'intéressa plus du tout.

— Je me demande si je ne devrais pas m'attacher les cheveux comme ça, continua Patty en joignant le geste à la parole.

— Bonne idée ! Tu pourrais mettre ces fabuleuses boucles d'oreilles en ambre que ton père t'a envoyées. Je te parie que Caleb ne verra rien du film...

Laurie essaya d'ignorer la peine qui la submergeait. Jamais elle n'aurait imaginé que Patty soit le type de Caleb. Et pourtant manifestement elle lui plaisait assez pour qu'il l'invite au cinéma. « Mais quelle chance avais-tu qu'il s'intéresse à une pauvre boursière ? » souffla une petite voix au fond d'elle. Se serait-elle trompée sur toute la ligne ? Caleb lui avait plu parce que, justement, il ne semblait pas s'arrêter à ce genre de détail. Et il se souciait plus des chevaux que des filles.

Laurie fit ralentir Hardy alors qu'ils approchaient du vertical. S'il ne le renversait pas, ce serait un sans-faute ! Dans les trois dernières foulées avant l'obstacle, elle l'encouragea de l'assiette et des jambes, et faillit crier de joie quand il survola la barrière.

— Bravo, Laurie ! la félicita Mme Carmichael.

La cavalière fit un tour au trot et ramena sa monture vers les autres.

— Le cours est terminé. Bon, les juniors, je compte sur vous pour vous entraîner très sérieusement ! Il ne vous reste plus que deux semaines. Je ne tolérerai aucune absence.

À l'évidence, c'était à Audrey que cette dernière remarque s'adressait.

— Tu sais qu'Éléonore a piqué une crise quand elle a appris qu'Audrey passait la sélection de hockey ? murmura Margaux quand elles quittaient le manège.

— Oui. Et Audrey lui a répondu qu'elle avait des A dans toutes les matières, et qu'elle pouvait donc se permettre de prendre plus d'activités que nous autres, simples mortelles.

— N'importe quoi !

Elles mirent pied à terre et conduisirent leurs poneys vers l'écurie. Julie, qui ramenait Tybalt du pré, s'arrêta afin de laisser passer les montures du cours intermédiaire.

Laurie s'approcha avec Hardy pour dire bonjour à Tybalt. Le hongre dressa les oreilles en l'apercevant. Elle avait essayé de lui consacrer une demi-heure par jour depuis son arrivée, et il commençait à la guetter, elle, ou du moins la carotte qu'elle lui apportait... La veille, il avait même passé la tête par-dessus la porte.

— Il a l'air de bonne humeur, dit-elle à Julie en caressant le bout du nez de Tybalt.

— Oui, mais il évite toujours les autres chevaux. Il préfère regarder les vaches dans le pré à côté !

Soudain, Tybalt coucha les oreilles et poussa un hennissement aigu. Avant qu'elles aient pu réagir, il rua, frappant Hardy de ses sabots.

Laurie blêmit : un filet de sang coulait le long de la jambe de Hardy.

— Il ne manquait plus que ça ! gémit Julie. Reste là. Je remets Tybalt dans sa stalle et je cours chercher Mme Carmichael. Il vaut mieux que Hardy ne bouge pas tant qu'elle ne l'aura pas vu.

Le cœur serré, Laurie regarda Tybalt s'éloigner d'un pas raide. Il agita nerveusement la queue en croisant un autre poney. Elle songea qu'il ne ferait aucun progrès tant qu'il aurait du mal à supporter ses congénères. En attendant, il avait blessé le cheval qu'elle devait monter au concours... Elle croisa les doigts : si Hardy boitait, elle pouvait dire adieu à la compétition.

# 17

Le lendemain, à la première heure, Laurie se précipita dans l'écurie.

Elle trouva Hardy couché sur un épais lit de paille. Il hennit doucement en la voyant, mais n'essaya pas de se lever.

— Mon pauvre ! murmura-t-elle en regardant sa jambe bandée.

Mme Carmichael avait nettoyé et pansé sa blessure, la veille au soir, et pris rendez-vous avec le vétérinaire pour le matin. Laurie voulait arriver à temps pour entendre son diagnostic, en espérant que Hardy serait rétabli avant la rencontre à Saint Kit.

Elle poussa le verrou et s'avança avec précaution. Hardy leva la tête. Quand elle s'assit à côté de lui et commença à lui caresser l'encolure, il laissa retomber sa tête avec un soupir.

Laurie se mit à le masser en dessinant des cercles du bout des doigts, tout en fredonnant doucement. Le cheval remua les oreilles. « Je suis désolée. C'est ma faute si tu as été blessé, lui dit-elle pour la centième fois. J'aurais dû me méfier des réactions de Tybalt. »

Hardy redressa de nouveau la tête en entendant des voix se rapprocher. Avec un gémissement, il réussit à se lever, tout en évitant de prendre appui sur sa jambe blessée.

— Bonjour, Laurie. Ça fait longtemps que tu es là ? demanda Mme Carmichael par-dessus le portillon.

Laurie se releva et épousseta ses vêtements :

— Non, j'arrive. Je voulais juste voir comment il allait.

Elle dévisagea la jeune femme aux cheveux auburn qui se tenait derrière la responsable d'équitation. Elle était vêtue d'une parka usée et portait une grande mallette en cuir.

— Voici le Dr Olton, annonça Mme Carmichael en ouvrant la porte.

— Je vais voir Tybalt, dit Laurie pour leur laisser le champ libre.

Lorsqu'elle pénétra dans son box, le poney détourna la tête de son filet à foin. Laurie constata avec soulagement qu'il continuait à mâcher la paille tandis qu'elle s'approchait de lui. Une semaine plus tôt, il se serait écarté et aurait cessé de manger. Il s'habituait donc à son nouveau foyer, à n'en pas douter, même s'il avait encore de nombreux problèmes à régler quant à ses rapports avec les cavaliers et les autres chevaux.

Laurie remit en place sa couverture.

— Quelle idée de botter Hardy ? murmura-t-elle. Il ne t'avait rien fait !

Le seau d'eau était vide, et elle alla le remplir au robinet au fond de l'écurie. Puis elle décida de brosser le poney. Tout était bon pour s'occuper... Elle redoutait tellement le verdict du Dr Olton ! Hardy paraissait si abattu qu'elle avait du mal à imaginer qu'il serait rétabli à temps pour la compétition. Mais elle ne pouvait s'empêcher d'espérer : peut-être n'avait-il qu'une ecchymose et qu'au bout de quelques jours de repos il serait de nouveau sur pied.

Elle passa la brosse sur la robe chocolat de Tybalt et sur ses jambes musclées.

Mme Carmichael vint s'accouder à la porte :

— Comment va-t-il ?

— Pas mal, on dirait. Et Hardy ?

La responsable hésita avant de répondre :

— Les nouvelles ne sont pas bonnes, j'en ai bien peur. Le Dr Olton pense qu'il s'agit d'une fêlure. Il s'en remettra, mais cela nécessitera un repos complet d'au moins deux mois.

Laurie sentit sa bouche s'assécher.

— Il souffre beaucoup ? lâcha-t-elle.

— Difficile à dire. On voit qu'il est gêné, mais je ne pense pas que ce soit très douloureux. La vétérinaire lui a prescrit des anti-inflammatoires, et nous devrons baigner sa jambe tous les jours pendant une semaine afin qu'elle désenfle.

— Je m'en veux tellement de l'avoir amené près de Tybalt ! fit Laurie, qui craignait que le poney ne soit renvoyé au haras sur-le-champ.

— Cesse de te tourmenter ! Tu ne pouvais pas deviner qu'il réagirait ainsi. Moi non plus d'ailleurs. Cependant, s'il veut faire partie de l'écurie de Chestnut Hill, il devra s'habituer aux autres chevaux.

— Quoi ? Vous voulez dire que vous le gardez ?

— Eh bien, il est plus sauvage que je le croyais, avoua Annie, mais j'ai promis de lui accorder un mois à l'essai. Cela dit, ne te fais pas trop d'illusions, Laurie ! s'empressa-t-elle d'ajouter. Et s'il ne s'adapte pas ici, ça ne voudra pas dire pour autant que c'est un mauvais cheval. Seulement, nous, il nous faut des poneys particulièrement doués.

« Mais Tybalt est doué ! » songea Laurie. Hélas, il restait à le prouver. Elle ramassa son seau vide et se dirigea vers la porte.

— Toujours est-il que tu ne pourras pas monter Hardy pour la rencontre, continua Mme Carmichael.

Laurie s'arrêta net. Elle avait tellement redouté le diagnostic de la vétérinaire qu'elle en avait oublié la compétition !

— Que penses-tu de Foxy Lady ? Vous formiez une bonne équipe quand tu l'as essayée, l'autre jour.

— Oui, bien sûr, répondit machinalement Laurie.

Foxy Lady avait très bien sauté, mais elle en aurait fait autant avec n'importe quelle élève. Laurie, elle, préférait les chevaux avec du caractère, qui avaient besoin d'une cavalière qui les comprenait. Elle les trouvait bien plus intéressants à monter.

Elle regarda Tybalt. Sous sa robe lustrée, elle voyait bouger les muscles de son encolure tandis qu'il tirait sur son sac à foin. Il semblait en excellente forme, et pourtant on ne l'avait pas fait travailler depuis longtemps... Une idée folle germa dans son esprit. « Il se déplace merveilleusement bien, et même Audrey n'a pu trouver à redire sur ses origines. Peut-être qu'il sait aussi sauter. »

— Et Tybalt ? lâcha-t-elle. On pourrait lui donner une seconde chance et, si tout se passe bien, je le monterais.

Mme Carmichael repoussa une mèche de son front et réfléchit un long moment.

— Voilà ce que je te propose, dit-telle à la fin. Tu vas l'essayer cet après-midi, dans la carrière, et nous verrons comment il se comporte, d'accord ?

— D'accord ! répondit Laurie avec un large sourire.

— Une fois de plus, ne te fais pas trop d'illusions. J'aimerais beaucoup qu'il se plaise ici, mais ça ne peut pas arriver du jour au lendemain. Il a encore d'énormes progrès à faire. Enfin... Retrouve-moi là-bas à deux heures.

Laurie étouffa un cri de joie. « On va l'épater ! » songea-t-elle, imaginant déjà Tybalt qui s'envolait au-dessus des obstacles sous les vivats d'un public ébloui.

Hélas, Tybalt semblait loin de partager l'enthousiasme de Laurie quand elle le conduisit à la carrière. Il dressa la queue et, très vite, des taches de sueur assombrirent ses flancs. Il tressaillit quand Margaux traversa la cour en poussant une brouette qui couinait. Laurie le caressa pour le calmer et s'aperçut qu'il était encore plus tendu que lorsque Audrey l'avait monté.

Mme Carmichael lui ouvrit le portail du manège. Tybalt commença à s'agiter dès qu'elle se mit en selle.

— Doucement, murmura-t-elle, accompagnant ses paroles d'une pression des jambes.

Le poney avança d'un pas saccadé.

— Une fois arrivé au coin, fais-lui prendre le trot, lança Mme Carmichael.

Laurie raccourcit ses rênes et pressa de nouveau ses jambes contre les flancs de Tybalt. Mais, au lieu d'obéir, il se tourna vers la barrière. Quand elle voulut le redresser, il poussa un hennissement de protestation.

« Il n'y a pas à dire, Audrey s'en est beaucoup mieux tirée que moi, songea Laurie, brutalement ramenée à la réalité. Je n'arrive même pas à le faire trotter ! » Elle se cala dans la selle et lui demanda de nouveau d'avancer. Il résista et lui arracha presque les rênes des mains en plongeant la tête en bas avant de ruer. Elle n'eut que le temps de se pencher en arrière sur la selle pour ne pas tomber.

— Il vaut mieux que tu descendes ! cria Mme Carmichael.

Laurie quitta les étriers et sauta à terre sans lâcher les rênes, les yeux brûlants de larmes. Mais elle se reprit aussitôt. Elle devait d'abord calmer Tybalt.

— Doucement, mon grand, dit-elle en tendant la main.

Le cheval fit un cercle complet autour d'elle avant qu'elle pût l'arrêter.

Mme Carmichael s'approcha d'eux :

— Bon, eh bien, je pense que ça règle la question. Tu t'entraîneras sur Foxy Lady. Tybalt se déplace bien – quand il le veut... J'ai déjà croisé ce genre de cheval. Il a sans doute besoin de plus d'attention qu'on ne peut lui en accorder. Je suis désolée, Laurie. Je sais que tu as placé de grands espoirs en lui, mais je ne peux pas prendre le risque de laisser mes élèves le monter.

Laurie comprit que Tybalt venait de gâcher sa dernière chance. S'il n'était pas capable de faire le tour de la carrière au trot, il n'aurait jamais sa place à Chestnut Hill.

« Il n'est pas coulé dans le moule. Exactement comme moi, pensa-t-elle. Pas étonnant que je me sente si proche de lui ! »

# 18

Après avoir pansé Tybalt, Laurie partit se promener au bord du lac. Elle était désespérée.

« Pourquoi ai-je persuadé Mme Carmichael d'amener Tybalt ici ? Il aurait dû rester là-bas, ça aurait été mieux pour lui comme pour moi. »

Elle s'allongea sur l'herbe et ferma les paupières.

— Il paraît que la séance d'entraînement ne s'est pas bien passée.

Laurie rouvrit les yeux et vit Margaux debout au-dessus d'elle.

— Une vraie cata ! souffla-t-elle tandis que son amie s'asseyait près d'elle. Comment tu as su que j'étais là ?

— Alison Ashcroft nous a dit qu'elle t'avait vue partir vers le lac, complètement retournée. Alors, qu'est-ce qui s'est passé ?

— Tybalt m'a fait la même chose qu'à Audrey, en pire : je n'ai pas été capable de le mettre au trot !

— Alors, tu vas laisser tomber ?

Laurie arracha une touffe d'herbe et commença à la déchiqueter :

— Non, mais je ne sais plus quoi faire. Il ne supporte personne, pas même les autres chevaux. C'est complètement fou ! On dirait qu'il s'entoure d'un mur de briques, et moi, je n'arrive pas à trouver le moyen de le démolir.

— Il te faudrait l'aide de quelqu'un qui a de l'expérience. Quelqu'un qui ne se laisse pas décontenancer par son attitude.

— Exactement. Quelqu'un qui s'en fiche s'il ne convient pas à Chestnut Hill. Quelqu'un qui cherchera juste à établir le contact avec lui. Mais où veux-tu que je dégote cette perle rare ? soupira Laurie.

Soudain, elle regarda fixement son amie tandis que son esprit galopait à toute vitesse.

— Laura Fleming ! s'écrièrent les deux filles d'une seule voix.

Laurie se leva d'un bond :

— Tu crois qu'elle acceptera de nous aider ? J'ai lu et relu tous les articles sur Heartland, mais je n'ai jamais pensé à m'adresser directement à elle !

— Ça ne coûte rien de lui envoyer un mail. Viens, on va demander son adresse à tante Annie.

Alors qu'elles couraient vers le pensionnat, Laurie sentit son moral remonter. Si Laura Fleming acceptait de voir Tybalt, elle serait alors sûre d'avoir donné toutes ses chances au poney. Peu importait qu'il convienne à Chestnut Hill ou pas, tout ce qu'elle voulait, c'était qu'il soit heureux.

— Entrez !

Laurie croisa les doigts et échangea un sourire inquiet avec Margaux avant de pousser la porte du bureau de leur instructrice. Elle s'avança tout en balayant du regard les murs couverts de photos de chevaux fabuleux et la longue vitrine, sous la fenêtre, remplie de trophées et de rosettes, bleues pour la plupart.

— Tante Annie, aurais-tu l'adresse de Laura Fleming ? attaqua sans préambule Margaux, qui l'avait suivie.

Mme Carmichael posa son stylo, l'air surpris :

— Oui, bien sûr. Elle doit se trouver sur les mails que nous avons échangés avant sa conférence.

— Nous pensons qu'elle pourrait aider Tybalt, enchaîna Laurie. Elle a soigné beaucoup de chevaux qui souffraient de problèmes de comportement, et...

— C'est une excellente idée ! l'interrompit Mme Carmichael. Seulement, Laura Fleming doit être débordée, entre ses études à l'université et son travail à Heartland.

— Mais... peut-être que, si elle ne peut pas venir le voir, elle accepterait de nous donner quelques conseils, insista Laurie.

— Bref, il faut que tu lui écrives, tante Annie, elle proposera peut-être de t'aider, renchérit Margaux, jouant quitte ou double. C'est sa spécialité, non ?

Mme Carmichael ne dit rien. Laurie n'osait plus respirer ; elle avait peur que son amie eût dépassé les bornes.

— D'accord, vous m'avez convaincue, déclara enfin Annie avec un grand sourire. Je lui envoie un mail dès aujourd'hui.

Laurie laissa échapper un soupir de soulagement :

— C'est génial ! Merci beaucoup.

— Je vous préviendrai dès que j'aurai eu une réponse.

Laurie poussa la porte et fusa à travers le hall, ventre à terre. Il était interdit de courir à l'intérieur, mais elle s'en moquait : Laura Fleming viendrait voir Tybalt !

Quand elle pénétra dans la classe, hors d'haleine, le cours de littérature avait déjà commencé.

Mlle Griffiths lisait *Macbeth*.

— *Et, du crâne au talon, remplissez-moi toute de la plus atroce cruauté*[1].

— Je suis désolée d'être en retard ! souffla Laurie. Mme Carmichael voulait me voir.

— Je ne dirai rien, pour cette fois. Asseyez-vous et prenez votre livre, acte III, scène V.

En gagnant sa place, Laurie croisa le regard interrogateur de Margaux. Elle lui répondit par un sourire éclatant.

— Génial ! s'écria son amie, emportée par son enthousiasme.

Toute la classe éclata de rire.

— Margaux Walsh, puisque vous me semblez déborder d'énergie, venez donc sur l'estrade nous lire les répliques de Lady Macbeth.

1. *N.d.T.* : traduction de François-Victor Hugo.

— Tout de suite, mademoiselle Griffiths ! lança Margaux en se levant d'un bond, ravie de cette punition qui n'en était pas une, car elle adorait le théâtre.

Laurie n'entendit pas son amie déclamer le discours à glacer le sang de Lady Macbeth. Elle ne songeait qu'à la visite de Laura Fleming, qui devait avoir lieu le lendemain. Pourvu qu'elle réussisse à établir le contact avec Tybalt ! Elle se souvenait de la vidéo que la jeune femme avait tournée sur sa méthode avec son propre cheval. Elle ferma à demi les paupières et s'imagina debout au milieu de la carrière, Tybalt galopant autour d'elle, crinière au vent...

Elle rouvrit les yeux en sentant un petit choc sur sa tempe. Une boulette de papier rebondit sur son bureau.

— La Terre à Laurie ! chuchota Mélanie.

Laurie leva la tête et vit que Mlle Griffiths avait disparu.

— Elle est allée nous chercher le DVD de *Macbeth*, lui expliqua Pauline en s'asseyant sur son bureau. Alors, raconte !

— Laura Fleming vient demain après-midi ! annonça la jeune fille avec un sourire radieux.

— Quoi ? Mme Carmichael veut montrer Tybalt à un psy ? la taquina Mélanie.

Audrey se tourna sur son siège.

— C'est pas un psy de pacotille qu'il lui faut, à ce cheval ! Liz Mitchell ne se serait jamais abaissée à faire appel à du personnel non qualifié ! Et, pour commencer, elle n'aurait jamais acheté un animal aussi imprévisible.

— Je parie qu'à Allbrights ils n'ont que d'excellents chevaux, enchérit Patty.

Oh, oh ! Laurie se tourna vers Margaux, guettant sa réaction.

Son amie afficha son sourire le plus aimable et s'avança vers la table d'Audrey, un doigt sur le menton, imitant leur professeur.

— Et si vous vous occupiez de ce qui vous regarde, mademoiselle Harrison ? Vous savez que votre travail laisse de plus en plus à désirer, et que vous aurez de la chance si vous décrochez un B ? À force de vouloir participer à toutes les activités et à toutes les conversations de l'école, vous risquez de vous planter !

— Attention ! Voilà Mlle Griffiths ! les avertit Jessica, dont la table se trouvait près de la porte.

Pendant que les élèves regagnaient leurs places à la hâte, Laurie remarqua qu'Audrey avait blêmi : Margaux l'avait piquée au vif ! « Si ça se trouve, elle subit plus de pression qu'on ne le pense, songea-t-elle en la voyant baisser la tête et regarder fixement la page devant elle. Ça ne doit pas être facile, d'arriver derrière deux sœurs aussi brillantes. »

# 19

Laurie regarda la pendule pour la centième fois. L'étude n'en finissait pas ! Laura Fleming devait arriver entre seize et dix-sept heures. « Peut-être qu'elle est déjà avec Tybalt, songea-t-elle, la bouche sèche, et qu'elle est en train de dire à Mme Carmichael qu'elle ne peut rien faire pour lui ? »

Quand la cloche retentit enfin, Laurie fourra ses affaires dans son sac avec une telle précipitation qu'elle fit tomber sa trousse par terre.

— Détends-toi ! dit Margaux en la ramassant. Elle ne doit pas être encore arrivée.

— Tu viens ?

— Je passe prendre de quoi goûter, et je te rejoins. Tu veux quelque chose ?

Laurie secoua la tête.

— À tout de suite ! fit Margaux alors que son amie courait déjà vers la porte.

Elle ne voulait pas manquer une seconde de la visite de Laura Fleming... ni un seul de ses conseils !

Elle trouva la jeune femme et Mme Carmichael qui bavardaient tranquillement devant la stalle de Tybalt. L'instructrice se tourna vers elle avec un grand sourire :

— Bonjour, ma grande. Laura, je vous présente Laurie O'Neil. C'est elle qui a eu l'idée de vous appeler au secours de Tybalt.

— Bonjour, mademoiselle, fit Laurie, intimidée. C'est très gentil d'être venue ! J'ai... j'ai adoré tout ce que vous avez raconté sur votre travail à Heartland...

L'étudiante éclata de rire :

— Merci, je suis très flattée que ma conférence t'ait plu. Mais je t'en prie, appelle-moi Laura.

— Je viens juste de présenter Tybalt à Laura, intervint Annie Carmichael.

— Alors, qu'en pensez-vous ?

— Il est magnifique. Mais il m'a l'air sacrément nerveux.

— C'est le moins qu'on puisse dire ! soupira Laurie.

Mlle Fleming s'adressait à elle avec tant de chaleur et de simplicité qu'elle avait l'impression de la connaître depuis toujours.

— Mais ce qui m'inquiète le plus, poursuivit Laurie, c'est qu'il a l'air si malheureux ! Il n'aime pas être monté, ni avoir du monde autour de lui. Il ne supporte même pas les autres chevaux ! Julie m'a dit qu'il passe son temps à regarder les vaches dans le champ d'à côté quand on le met au pré.

— Mme Carmichael m'a raconté comment il a réagi quand tu l'as monté, répondit Laura. Lorsque nous recevons des chevaux perturbés à Heartland, nous aimons bien connaître leur histoire. Mme Carmichael m'a donné le numéro de téléphone de l'écurie qui l'a vendu, et je vais appeler le propriétaire. Mais quoi qu'il lui soit advenu par le passé, Tybalt me semble doté d'une bonne nature. Il a de grands yeux, pas trop rapprochés, continua-t-elle en entrant dans son box, et si tu regardes au milieu de son front, tu verras que ses poils dessinent un tourbillon, ce qui est souvent le signe d'un tempérament digne de confiance.

Laurie vit Tybalt tourner la tête pour renifler Laura. Au lieu de reculer au fond de sa stalle, comme d'habitude, il dressa les oreilles et souffla par les narines. « Elle a vraiment un don particulier avec les chevaux », songea la jeune fille.

— J'ai apporté quelques remèdes naturels qui l'aideront à se détendre, reprit Laura en sortant de sa poche un sac en plastique qui contenait trois flacons. Cela, c'est un traitement d'aromathérapie à vaporiser dans son box. Il y a dedans de l'extrait de pépins de pamplemousse, de la lavande, de la marjolaine, du vétiver et de l'orange.

— Et là ? C'est le médicament à base de fleurs de Bach dont vous nous avez parlé ? demanda Laurie en désignant un flacon pourvu d'un compte-gouttes.

— Tu as une bonne mémoire ! Tu peux en mettre dans son seau d'eau ou lui faire lécher quelques gouttes sur ta main. Quant à cela, nous l'utiliserons pour le calmer avant de l'emmener à la carrière, ajouta-t-elle en dévissant la troisième bouteille, qui dégagea une forte odeur.

— C'est de la lavande ? J'ai entendu dire que c'était bon pour les chevaux nerveux, dit Mme Carmichael, se joignant à la conversation.

— C'est infaillible ! Mais ils ne peuvent pas en boire, contrairement à la potion aux fleurs de Bach, précisa-t-elle en voyant Laurie froncer les sourcils. Il faut l'appliquer par un massage doux.

— Oui, je me souviens, vous en avez aussi parlé à la conférence. Vous allez le lui faire ?

Laura sourit :

— Je ne connais rien de mieux pour calmer les chevaux ! Cela les aide à relâcher la tension de leurs muscles tout en leur permettant de mieux percevoir leur corps, et ainsi d'être moins peureux. Oh, mais je vous ennuie avec tous ces détails ! s'exclama-t-elle en faisant la grimace. On dirait que je donne un cours magistral !

— Non, au contraire ! C'est très intéressant ! protesta Mme Carmichael. J'aimerais bien pouvoir en bénéficier certains soirs, ajouta-t-elle en regardant Laura verser quelques gouttes de lavande au creux de sa main.

La jeune femme éclata de rire :

— Je suis sûre que Tybalt sera ravi de partager ! Voilà, il ne reste plus qu'à faire pénétrer cet extrait par de légers mouvements circulaires. Je vais vous montrer, et ensuite Laurie pourra prendre le relais si cela vous convient, Annie.

Mme Carmichael hocha la tête tandis que Laurie s'approchait pour bien observer les gestes de l'étudiante.

— J'ai déjà essayé, avoua-t-elle. Mais je ne suis pas sûre d'avoir bien fait.

— À ton tour, l'encouragea Laura en déposant quelques gouttes au creux de sa main. Il faut décrire de minuscules cercles du bout des doigts, dans le sens des poils.

Un peu intimidée, Laurie commença à masser l'encolure de Tybalt. Elle oublia la présence de Laura et de Mme Carmichael, sentant que Tybalt se détendait peu à peu sous ses doigts.

— Parfait ! murmura Laura. Il réagit très bien.

Le cheval baissa la tête et soupira, les yeux mi-clos, les oreilles relâchées. Laurie frissonna de joie, sidérée par l'efficacité de son massage.

— Je pense qu'il est prêt à aller dans la carrière, maintenant, déclara Laura. J'aimerais essayer la technique du consentement avec lui. Cela devrait l'aider à reprendre confiance dans les humains.

Laurie repoussa la crinière qui tombait dans les yeux de Tybalt. Gagnée par l'optimisme de la jeune femme, elle s'imaginait déjà à dos du poney, volant par-dessus les obstacles et remportant la rosette bleue pour l'équipe de saut. Sa séance catastrophique dans la carrière lui revint brusquement à l'esprit, et elle sentit son cœur se serrer. Elle avait des tonnes de confiance en Tybalt, mais pas un gramme de confiance en elle-même !

# 20

— Attends-moi ! cria Margaux.

Laurie lui tint la porte, et toutes deux coururent jusqu'à la clôture, qu'elles escaladèrent pour s'installer sur la barre supérieure.

— Que se passe-t-il ? demanda Margaux, hors d'haleine.

— Laura va essayer la technique du consentement sur Tybalt, expliqua son amie tandis que la jeune femme conduisait le poney au milieu de la piste.

Il marchait d'un pas assuré et regardait autour de lui, les oreilles dressées.

— Oh, vous vous appelez par vos prénoms maintenant ? s'étonna Margaux. Tu veux devenir assistante guérisseuse ? En tout cas, je n'ai jamais vu Tybalt aussi calme. Elle l'a drogué ou quoi ?

Laurie éclata de rire :

— Non ! Nous lui avons fait un massage à l'huile de lavande et nous en avons vaporisé dans son box. Je sais que ça paraît dingue, mais le massage doux marche super bien. Maintenant, tais-toi et regarde !

Margaux salua d'un geste sa tante, qui venait d'arriver au paddock. Celle-ci sourit aux deux filles avant de reporter son attention sur Tybalt et Laura.

L'étudiante détacha la longe du poney et recula. Tybalt secoua la tête et s'éloigna d'elle au trot. Puis il se retourna, l'air perplexe : Laura ne faisait pas le moindre geste pour l'arrêter.

Au contraire, elle fit claquer la longe.

— Va-t'en ! cria-t-elle.

Tybalt fit quelques pas de plus.

— Je veux qu'il s'écarte de moi, expliqua Laura. Et surtout qu'il me croie plus forte que lui. Je dois donc me montrer très ferme.

Le poney se mit à trotter autour de la piste. Laura secoua de nouveau la corde, et il passa au galop.

— Il se déplace magnifiquement bien ! commenta-t-elle.

Laurie se rengorgea, très fière que la jeune vétérinaire porte sur le poney le même jugement qu'elle.

— Vous vous mettez donc dans le rôle du cheval alpha, remarqua Mme Carmichael.

Laura hocha la tête sans quitter Tybalt des yeux :

— Dans la nature, chaque horde possède un cheval dominant, en général un étalon perçu comme le plus fort par les autres, celui sur lequel ils comptent en cas de danger. Je voudrais parvenir à ce que Tybalt éprouve cette confiance envers moi.

Laurie, qui avait le sentiment que ces explications lui étaient personnellement destinées, buvait ses paroles. Elle ne savait plus combien de tours de piste Tybalt avait effectués. Mais désormais, chaque fois que Laura s'avançait, il accélérait et, dès qu'elle reculait, il ralentissait. Soudain, il réduisit l'allure et baissa la tête.

Laurie attrapa le bras de Margaux, manquant de tomber de son perchoir. Sans un mot, elle montra Tybalt, qui ouvrait et refermait la bouche exactement comme le faisait le cheval sur la vidéo.

— Il me signifie qu'il ne veut plus me fuir, commenta la jeune femme.

Laurie planta les ongles dans sa paume : Tybalt serait-il prêt à accorder de nouveau sa confiance à quelqu'un ?

Laura fit demi-tour et s'éloigna du poney. Il se mit à longer la barrière, au trot puis au pas. Son oreille intérieure pivota tandis qu'il cherchait à comprendre ce qui se passait. Au bout de quelques mètres, il s'arrêta.

Margaux pinça le bras de son amie en le voyant s'écarter d'un pas de la barrière. Après une dernière hésitation, il s'avança vers Laura. Quand il ne fut plus qu'à quelques centimètres d'elle, il s'immobilisa, tendit le cou et souffla dans son dos. Sans se retourner, Laura fit un pas en avant.

Il la suivit, le cou toujours tendu. Laura accéléra, et Tybalt trottina derrière elle autour de la piste. Puis elle dessina des boucles et des huit, toujours suivie par le poney, avant de s'arrêter pour lui frotter le nez.

— Il faut le voir pour le croire ! murmura Mme Carmichael.

Laurie aurait voulu embrasser Tybalt et Laura quand ils revinrent vers elle, côte à côte.

— Il est adorable ! s'extasia la jeune femme, les joues roses de plaisir. Il ne demande qu'à reprendre confiance.

— Croyez-vous qu'il est prêt à être monté ? s'enquit Mme Carmichael.

— Sans doute pas tout de suite. Il faut laisser agir les médicaments que je vous ai apportés, et Laurie doit continuer à le masser. Je reviendrai dimanche pour voir si le courant passe toujours entre nous et s'il accepte qu'on le monte.

— Je ne sais pas comment vous remercier, Laura ! dit Mme Carmichael. Je suis ravie que ces deux-là aient eu l'idée de vous contacter, ajouta-t-elle avec un signe de tête vers Laurie et Margaux. Je suis désolée, je dois vous quitter. J'ai un rendez-vous. Laurie, tu veux bien ramener Tybalt à son box ?

— Je dois y aller, moi aussi, dit Margaux. Merci de m'avoir permis d'assister à cette séance. C'était fabuleux !

Laura Fleming leur fit au revoir de la main, puis se tourna vers Laurie :

— Je vais ramener Tybalt avec toi.

— Génial !

La jeune fille passa ses doigts sur l'encolure du poney. Il tourna la tête pour renifler sa main. Ce n'était qu'un petit geste, mais elle le considéra comme un bon présage.

De retour au box, elle fixa la couverture sur le dos de Tybalt pendant que Laura remplissait d'eau son seau.

— Je vais y mettre quelques gouttes, dit-elle en débouchant le flacon de fleurs de Bach.

Laurie regarda attentivement comment elle faisait, bien décidée à demander à Mme Carmichael la permission de s'occuper du poney pendant les prochains jours.

Une question lui brûlait les lèvres. Elle prit une profonde inspiration et se lança :

— Il y a quelque chose qui me tracasse au sujet de Tybalt. Et s'il n'avait jamais été en contact avec d'autres chevaux ? Je me souviens d'avoir lu que les chevaux que l'on isolait dans leur jeunesse ne savaient pas vivre en troupeau. Si ça se trouve, il a grandi tout seul, ou avec des vaches, puisqu'il semble les aimer !

— Oui, ce n'est pas bête. Cela expliquerait pourquoi il craint ses congénères. Il faut commencer par gagner sa confiance pour l'aider à se sentir ici chez lui.

Encouragée, Laurie se décida à poser l'autre question qui la taraudait :

— Et vous croyez qu'il pourrait participer à une compétition, à la fin de la semaine prochaine ?

Laura haussa les sourcils :

— C'est ce que tu vises ?

— Le cheval que je monte habituellement est blessé, répondit Laurie, sans préciser que c'était la faute de Tybalt. Mme Carmichael m'a donné une nouvelle ponette. Foxy est géniale, c'est certain, mais je n'ai pas avec elle la complicité que je pourrais avoir avec Tybalt, je le sens.

— Je comprends ce que tu veux dire. J'avais exactement la même impression avec Sundance, la jument que ma mère m'avait offerte avant sa mort. Je n'ai jamais ressenti une pareille connivence avec aucun des chevaux qui passent à Heartland. Pendant longtemps, c'était ma préférée. Maintenant, elle a un concurrent, le cheval que tu as vu dans mon film.

Laurie revit le poulain aux longues jambes avec lequel Laura avait présenté la technique du consentement.

— Grand-Échalas, c'est ça ?

— Il revient de très loin, reprit Laura. Ma sœur m'a donné une partie de l'argent qu'elle réservait à son mariage pour l'acheter, lui et les chevaux qui l'accompagnaient. Maintenant, il est élevé selon la méthode Heartland, et il adore ça.

— Heartland doit être un véritable paradis pour eux ! Quelle chance vous avez eue de grandir là-bas !

— C'est vrai. Et il me manque beaucoup quand je suis à la fac. Mais, si je n'avais pas vécu là-bas, j'aurais aimé venir ici. Cette école me paraît géniale, et je suis très flattée que votre responsable soit ouverte à mes méthodes.

Laura caressa Tybalt pour lui dire au revoir :

— Je reviens dimanche. On verra alors si tu peux le monter à ta rencontre.

Lorsque Laurie s'approcha à son tour de Tybalt, il tendit le nez et renifla ses cheveux.

— On dirait que vous commencez à bien vous entendre, tous les deux, remarqua Laura.

— Je le trouve fantastique ! avoua la jeune fille en retirant un brin de paille de sa crinière.

— Moi aussi. Seulement, je ne suis pas sûre qu'il soit fait pour l'école... Je ferai tout mon possible, Laurie, mais tu devrais t'habituer à l'idée qu'il pourrait être plus heureux ailleurs.

# 21

On était samedi, et Laurie avait déjà rendu visite à Tybalt avant le petit déjeuner. À son grand bonheur, le poney avait henni quand elle était entrée dans son box. Il avait paru sincèrement content de la voir, et pas parce qu'il espérait une sucrerie. Elle lui avait fait un massage doux pendant quelques minutes – d'ailleurs, ses doigts sentaient encore la lavande –, et il était évident que ce traitement lui réussissait. Même Julie avait remarqué qu'il se laissait plus facilement conduire au paddock.

À présent, Laurie se dirigeait vers le terrain de sport avec Pauline, Margaux et Mélanie, qui voulaient faire du volley. Elle-même n'avait pas l'intention de jouer : elle avait un livre à finir pour le cours de littérature et une dissertation à rendre trois jours plus tard. La visite de Laura Fleming l'avait tellement excitée qu'elle avait été incapable de travailler pendant plusieurs jours.

Une fois de plus, elle songeait à Tybalt en espérant qu'il serait heureux à Chestnut Hill lorsqu'une réflexion de Mélanie la tira de sa rêverie :

— Waouh ! Encore un entraînement de hockey ? Pauvre Audrey ! Mlle Feist ne la laisse pas souffler.

Audrey avançait dans leur direction, vêtue d'une courte jupe écossaise, sa crosse de hockey sur l'épaule.

Pauline secoua la tête :

— Je ne sais pas comment elle assume tout ça !

— Elle doit avoir un clone, plaisanta Margaux. En fait, la véritable Audrey Harrison se prélasse quelque part sur une chaise longue.

— Salut, Audrey ! On se demandait justement si tu ne t'étais pas fait cloner, plaisanta Mélanie. On ne sait pas comment tu peux arriver à tout faire !

— C'est une question d'organisation, rétorqua sèchement Audrey. Mais tu ne peux pas connaître, c'est une qualité innée chez les gens motivés !

Laurie fut étonnée par une telle agressivité, car la boutade de Mélanie lui avait paru plutôt sympa.

Margaux haussa les sourcils :

— Qu'est-ce que tu veux dire ?

— Devine ! riposta Audrey. Je n'ai pas le temps de t'expliquer, j'ai une réunion du conseil des élèves dans un quart d'heure.

Laurie remarqua que, malgré ses grands airs, elle avait le visage écarlate et de petites mèches collées sur le front par la sueur. Elle semblait épuisée.

— Je vous rejoins tout de suite, lança-t-elle à ses amies en courant pour la rattraper.

Audrey la fusilla du regard quand elle arriva à sa hauteur.

— Ça n'a pas l'air d'aller, lâcha Laurie, tout essoufflée.

Audrey parut déstabilisée.

— Pff ! J'ai été nulle à l'entraînement, répondit-elle sans s'arrêter. J'ai laissé passer au moins trois balles super faciles.

— C'est normal. Ça ne fait pas longtemps que tu as intégré l'équipe.

— Si je commence à me chercher des excuses, je vais vite me retrouver très moyenne.

— Non, rassure-toi, tu ne pourras jamais tomber aussi bas que nous, plaisanta Laurie. Mais peut-être que tu t'imposes trop de choses.

Audrey pila net :

— De quel droit tu me donnes des conseils ? Sache que, chaque fois qu'un membre de ma famille se lance dans une nouvelle activité, il atteint tout de suite le top niveau. Et comment tu peux savoir de quoi je suis capable ? Alors, pitié, lâche-moi les baskets !

Sur ce, elle tourna les talons. Laurie la regarda s'éloigner en soupirant. « Et moi qui trouve la barre déjà haute parce que je suis boursière ! Qu'est-ce que je dirais si j'étais comme elle la dernière d'une famille de superwomen ? »

# 22

Le dimanche matin, Laurie courut de bonne heure à l'écurie pour passer un peu de temps avec Tybalt avant l'arrivée de Laura Fleming. Elle alla prendre ses flacons de médicaments dans la salle de soins et s'arrêta au passage voir Hardy. Elle sauta de joie en le trouvant debout, en train de manger de bon cœur. Le Dr Olton, qui lui avait rendu visite la veille, avait déclaré que sa jambe serait bientôt guérie. Certes, il lui fallait encore au moins un mois et demi de repos, mais quel soulagement de savoir qu'il ne garderait aucune séquelle !

Lorsqu'elle se pencha par-dessus le portillon de Tybalt, elle le découvrit allongé sur la paille. Il cligna des yeux d'un air endormi.

— Bonjour, gros paresseux ! fit-elle en entrant dans le box.

Il se leva, s'ébroua et s'approcha pour renifler ses poches. Elle lui donna son dernier biscuit :

— Tiens, mange ! Nous avons beaucoup de travail ce

matin. Et je veux te faire tout beau avant l'arrivée de Laura.

Soudain, Tybalt regarda derrière elle en dressant les oreilles.

Elle se retourna et vit Rose, la ponette de la stalle voisine, passer son nez entre les barreaux.

— Ah, tu t'es fait une amie ! s'écria-t-elle, ravie, en voyant Tybalt souffler dans les narines de la jument.

Elle dévissa le bouchon du flacon de fleurs de Bach et en versa quelques gouttes sur sa main. Tybalt baissa aussitôt la tête pour la lécher.

Ensuite elle appliqua un peu de lavande sur l'encolure du poney et se mit à le masser. Elle huma l'odeur en espérant que ça la détendrait, elle aussi : la route à parcourir était encore longue avant que l'avenir de Tybalt à Chestnut Hill soit assuré...

— Il est magnifique ! s'exclama Laura.

Laurie, qui nettoyait les sabots de Tybalt, releva la tête :

— Merci ! Voilà, j'ai fini.

La jeune femme entra dans la stalle.

— J'ai réussi à contacter les anciens propriétaires de Tybalt, annonça-t-elle en aidant Laurie à sortir le poney.

— C'est vrai ? Comment avez-vous fait ?

— M. Ryan m'a donné le numéro de téléphone de la salle des ventes où il l'avait acheté. Le commissaire-priseur a refusé de me communiquer les coordonnées des derniers propriétaires, mais il leur a transmis mon numéro, et figure-toi qu'ils m'ont appelée hier soir ! Ils ont revendu

Tybalt car, chaque fois qu'ils voulaient le monter, il n'avait qu'une idée en tête, retourner à l'écurie. Ils en ont déduit que ses propriétaires précédents devaient beaucoup utiliser le fouet au manège. Cela expliquerait pourquoi il cherche à se sauver dès qu'il voit une sortie. Sans doute que, plus il avait peur, plus ils le frappaient.

— Et plus il avait envie de s'échapper, conclut Laurie, la gorge serrée.

— Ce comportement n'a pu que s'aggraver avec la frustration de ses propriétaires successifs. Les personnes que j'ai eues au bout du fil auraient bien voulu le guérir, mais leur fille était trop jeune et elle ne pouvait pas le tenir.

« Pauvre Tybalt ! songea Laurie en contemplant le cheval. Ce n'est pas étonnant qu'il se méfie de tout le monde ! »

— Je pense néanmoins que la situation n'est pas sans espoir, ajouta la jeune femme. Il paraît qu'il aimait beaucoup sauter...

Laurie sentit son cœur s'envoler. Elle le savait ! Elle l'avait pressenti dès qu'elle avait posé les yeux sur lui.

— J'ai comme l'impression que Tybalt a déjà son fan-club ! lança Mme Carmichael, qui les attendait à la carrière.

Laurie sourit en voyant Margaux, Mélanie et Pauline, assises sur la barrière. Ses amies savaient combien cette séance comptait pour elle. Elle agita la main pour les saluer. Surpris, Tybalt poussa un hennissement terrifié.

— Désolé, mon grand, murmura-t-elle en lui frottant le nez. Je ne voulais pas te faire peur.

Elle jeta un regard affolé vers Laura, en espérant que celle-ci ne le trouverait pas trop nerveux pour être monté.

— Rien ne change du jour au lendemain, la rassura Laura, comme si elle lisait dans ses pensées. C'est une des premières vérités que j'ai apprises à Heartland.

Alors qu'elles arrivaient au centre de la piste, elle décrocha la longe de Tybalt et la tendit à Laurie :

— Vas-y !

— Vous... vous voulez que je vous aide ? demanda la jeune fille sans oser la prendre.

— Non, c'est à ton tour d'établir une relation de confiance avec lui ! répondit Laura, une lueur espiègle dans ses yeux gris.

# 23

Laura sourit en voyant la jeune cavalière la dévisager, bouche bée.

— Mme Carmichael est d'accord avec moi, dit-elle. C'est toi qui passes le plus de temps avec Tybalt : c'est donc avec toi qu'il réagira le mieux.

— Mais... je ne peux pas ! Je ne sais pas ce qu'il faut faire !

Laurie se tourna vers Tybalt : il la fixait de ses grands yeux sombres et intelligents. Un frisson d'excitation la parcourut. Pouvait-elle convaincre ce cheval magnifique de lui faire confiance ? Elle regarda ses amies, qui ne pouvaient pas savoir ce qui se passait. « Je vais tenter la technique du consentement avec Tybalt ! » aurait-elle voulu leur crier.

— Je t'aiderai pas à pas, promit Laura. Je reste là. Tu dois commencer par le chasser loin de nous, comme je l'ai fait la semaine dernière.

D'une main tremblante, Laurie lui prit la longe des mains et la lança vers Tybalt. Il grogna de surprise et fit un écart. Prenant son courage à deux mains, elle recommença, et il partit vers la clôture, les oreilles couchées.

— Je sais, ça doit te faire drôle de le chasser, fit Laura, alors que tu as passé tant de temps à essayer de te rapprocher de lui. Mais c'est la seule façon de lui faire accepter que tu es plus forte que lui.

Laurie hocha la tête, trop tendue pour parler. Elle regarda Tybalt se mettre au galop, la queue relevée.

— C'est ça. Tu t'en sors très bien, l'encouragea la jeune vétérinaire.

Laurie se sentit prise de vertige tandis qu'elle tournait sur elle-même pour suivre Tybalt des yeux. Ses amies se fondirent dans un brouillard.

— Continue, Laurie ! lança Mme Carmichael.

Laurie sourit sans détacher les yeux du poney qui courait à longues foulées.

— Mets-toi dans son champ de vision pour qu'il te contourne, lui ordonna Laura.

Laurie s'avança pour bloquer le passage au poney. Aussitôt, le hongre fit demi-tour et repartit en sens inverse, aussi aisément qu'un cheval de dressage. Elle n'en revenait pas : elle arrivait à le contrôler sans longe ni fouet !

— Tu vois son oreille ? demanda Laura.

— Celle qu'il pointe en avant ?

— Oui, ça veut dire qu'il est prêt à t'écouter.

— Qu'est-ce que je dois faire ?

— Le laisser courir encore un peu. Il faut qu'il soit absolument sûr de sa décision.

Laurie suivit le poney des yeux jusqu'à ce qu'il baisse la tête et commence à ouvrir et fermer la bouche.

— Maintenant, tourne-lui le dos.

Elle pivota, montrant ainsi à Tybalt qu'elle ne voulait plus le chasser. Du coin de l'œil, elle le vit s'arrêter et regarder dans sa direction.

— Quand il viendra vers toi, je veux que tu avances de quelques pas, d'accord ? chuchota Laura.

Laurie attendit... Elle sentit ses cheveux se hérisser sur sa nuque en entendant ses sabots s'approcher tranquillement sur le sable.

— Vas-y, dit doucement Laura.

Le cœur battant, elle fit un pas en avant, sans croire vraiment que Tybalt la suivrait. Mais une seconde plus tard, elle sentit son nez cogner son épaule. Elle se retourna et plongea son regard dans les yeux bruns du poney. Ils étaient pleins de confiance. Plus la moindre trace de l'anxiété qui l'avait perturbé !

Elle passa les bras autour de son encolure. « On a réussi ! songea-t-elle, très émue. On a réellement réussi ! »

Elle leva la tête en entendant des cris de joie derrière elle. Mélanie, Pauline et Margaux faisaient la hola, perchées sur la barrière. Ce n'était guère impressionnant, avec juste trois personnes, mais cela la toucha énormément. Elle leur sourit, puis se tourna vers Laura Fleming :

— Merci ! Merci de tout cœur...

La jeune femme hocha la tête, et Laurie sentit qu'elle savait ce que ce moment représentait pour elle.

Elle appuya sa joue contre l'encolure de Tybalt :

— Tu as été fantastique !

Il restait à mettre à l'épreuve la confiance toute neuve du poney... Elle regarda Laura :

— Allez-vous le monter tout de suite ?

Laura marqua une pause.

— Il vaut mieux que ce soit la personne avec laquelle il a établi le lien qui le monte la première, finit-elle par répondre.

Laurie se tourna vers Mme Carmichael.

— Autant profiter de ses bonnes dispositions, acquiesça celle-ci en caressant le poney entre les yeux. Mais je ne voudrais pas prendre de risques. Il est encore imprévisible.

— Je le tiens à l'œil, déclara Laura.

Mme Carmichael cria à Margaux d'aller chercher le harnachement de Tybalt.

Mélanie mit ses mains en porte-voix devant sa bouche et hurla :

— On est avec toi ! Bonne chance !

« Je ne devrais pas en avoir besoin, songea Laurie. Cette fois, la confiance travaille pour moi. »

— Prête ?

Un sourire rassurant aux lèvres, Mlle Fleming tendit les rênes de Tybalt à Laurie.

— Prête, répondit celle-ci en finissant d'attacher sa bombe.

Elle glissa le pied dans l'étrier et se mit en selle.

— Nous allons juste faire le tour de la carrière, alors, détends-toi, chuchota-t-elle au poney.

Il agita une oreille, faisant sourire sa cavalière.

— Vas-y doucement, la mit en garde Mme Carmichael.

Laurie leva les rênes en hochant la tête. Elle était encore plus nerveuse qu'à la démonstration ! Normal : alors, seule sa fierté de boursière était en jeu ; une bagatelle en comparaison avec l'avenir de Tybalt à Chestnut Hill !

— On croise les doigts ! lança Margaux depuis la barrière.

Tybalt baissa la tête et avança.

— Mets-le au trot ! fit Mme Carmichael.

Laurie sentit une montée d'adrénaline alors qu'elle raccourcissait les rênes. Tybalt serra le mors et fit un bond.

— Recommence, insista Laura. Fais comme si tu montais le poney le mieux entraîné du monde et demande-lui de tout donner !

Laurie opina. Elle fit faire à Tybalt un demi-arrêt et lui ordonna de nouveau de se mettre au trot.

Cette fois, il obéit sans rechigner, emportant Laurie en longues foulées. « Ce n'est pas possible ! On dirait un autre cheval ! » pensa la jeune fille, émerveillée. Au bout de la carrière, elle tourna et changea de diagonale. Elle le sentait à l'écoute de ce qu'elle lui demandait : il mettait désormais en elle toute sa confiance. À mi-chemin, elle s'assit pour changer de nouveau de diagonale, et il s'exécuta sans la moindre hésitation.

— C'est bien, mon grand ! chuchota-t-elle.

Au coin suivant, elle lui demanda de galoper. La crinière de Tybalt lui fouetta les mains tandis qu'il allongeait sa foulée.

— Doucement, mon grand ! s'exclama-t-elle en le ramenant au trot au bout de la carrière.

Elle lui fit ensuite dessiner une serpentine : elle fut ravie de la façon dont il réalisa chaque boucle jusqu'à ce qu'elle l'arrête. Il était clair qu'à un moment de sa vie mouvementée il avait été bien dressé. Et Laura avait eu une excellente idée de lui dire de le pousser au maximum : il semblait prêt à faire tout ce qu'elle attendait de lui.

Dès qu'elle sauta à terre, son petit public accourut pour la féliciter.

— Ça a été stupéfiant ! souffla Margaux.

— On aurait dit qu'il voulait te faire plaisir, commenta Mme Carmichael.

— Ce n'est plus le même cheval, renchérit Pauline.

— Oui, il est méconnaissable, acquiesça Laurie. Et tout ça, grâce à Laura !

— Disons qu'il s'agit d'un travail d'équipe, rectifia la jeune femme en passant les rênes par-dessus la tête du poney.

Laurie se tourna vers Mme Carmichael, pleine d'espoir :

— Comment l'avez-vous trouvé ?

— Tu l'as parfaitement monté, répondit celle-ci en dégageant les poils de la crinière de Tybalt qui s'étaient pris sous son frontal. Mais je ne suis pas certaine à cent pour cent qu'il fera un bon poney d'école. Une séance réussie ne suffit pas. Il va demander beaucoup de patience et d'efforts.

— Je peux m'en charger ! s'écria Laurie, bien décidée à ne pas abandonner. Enfin, si vous m'y autorisez, madame...

Annie Carmichael sourit :

— Oui, Tybalt a gagné une chance de prouver de quoi il est capable.

— Alors, je pourrai le monter demain en cours ? insista Laurie.

Mme Carmichael leva les mains au ciel :

— Je ne peux pas dire non après une telle démonstration.

La jeune fille se tourna vers Laura Fleming avec un sourire radieux :

— Comment pourrais-je jamais vous remercier ?

— En aidant ce cheval à résoudre les problèmes liés à son passé et à prendre un nouveau départ. Je ne demande rien de plus. Mais, surtout, ne le brusque pas. Laisse-le avancer à son rythme.

Dès que Laura se fut éloignée en compagnie de Mme Carmichael, les amies de Laurie lui sautèrent au cou.

— Tu as fait des prouesses ! s'exclama Pauline en donnant sa main à renifler à Tybalt.

— Tu rigoles ? C'est plutôt lui qui a été héroïque, protesta Mélanie. Parce qu'il faut être sacrément courageux pour faire confiance à Laurie !

Toutes les quatre éclatèrent de rire.

— Moi, je crois qu'il a compris qu'il s'agissait de son avenir, déclara Margaux. Hein, mon grand ?

# 24

— Tu as intérêt à tenir cet animal à bonne distance de Bluegrass ! grogna Audrey par-dessus son épaule.

Laurie effectua un demi-arrêt pour accroître l'écart entre les deux poneys : elle n'allait pas faire une scène en pleine leçon, même si elle trouvait qu'Audrey se montrait injuste. Tybalt avait parfaitement travaillé pendant les exercices sur le plat, et elle était curieuse de voir comment il se comporterait sur le parcours d'obstacles.

Elle regarda Bluegrass trotter vers les barres que Mme Carmichael avait installées au bout de la carrière.

— Doucement, dit-elle comme Tybalt secouait la tête, impatient de le suivre.

« Si seulement j'avais de la lavande pour me frictionner ! » songea-t-elle en prenant de profondes inspirations afin de se décontracter.

Quand le rouan eut atteint les barres, elle laissa Tybalt partir, espérant qu'il continuerait à bien se comporter. Elle resserra les jambes pour l'équilibrer et le dirigea sur l'obstacle. Tybalt hennit en s'élevant dans les airs, puis il galopa pour rejoindre les autres.

Margaux rassembla les rênes de Morello dans une seule main pour lever un pouce :

— Bravo !

— Merci, haleta Laurie en caressant l'encolure de Tybalt, soulagée d'avoir passé ce premier obstacle.

Cela représentait une victoire sur bien des plans.

— Revenez toutes au centre, sauf Tybalt ! lança Mme Carmichael. Je voudrais qu'il parte le premier.

Laurie raccourcit ses rênes pour empêcher son poney de suivre les autres, les mains moites sous ses gants.

Elle lui fit exécuter un tour au trot pour le stabiliser avant de le faire tourner vers le premier obstacle. Dès qu'il vit le vertical, il renversa la tête en arrière et adopta une allure saccadée. Elle l'éloigna de l'obstacle en l'obligeant à décrire un cercle pour le calmer.

— Allez, mon grand, dit-elle en faisant demi-tour. Fais-moi confiance.

Tybalt agita les oreilles et, cette fois, il garda une allure régulière tandis qu'il galopait vers les barres. Il s'envola avec une telle aisance que Laurie faillit pousser un cri. Il était aussi stupéfiant qu'elle l'avait imaginé ! Dès qu'ils atterrirent, elle le dirigea vers l'oxer, sans desserrer les jambes, pour que le poney sente qu'ils ne faisaient qu'un.

Tybalt bondit au-dessus de l'obstacle. « Il s'amuse comme un fou ! » constata Laurie, aux anges.

Ils passèrent les barres avec plusieurs centimètres de marge. Laurie fit bien attention à garder le contact avec lui tandis qu'il sautait le mur, puis le large. Elle le fit ensuite tourner vers le dernier obstacle, un autre vertical, précédé d'un petit cours d'eau où flottaient quelques canards en plastique. Mme Carmichael les avait installés pour habituer les chevaux aux décorations inattendues qu'ils risquaient de rencontrer à Saint Kit, le mercredi suivant.

Tybalt hésita. Il tira vers la droite, et Laurie resserra la rêne gauche tout en appuyant fortement sa jambe droite contre son flanc. « Ne me fais pas ça ! Tu ne vas pas te défiler à la fin du parcours ! »

Comme s'il avait compris l'importance de l'enjeu, le poney se redressa et sauta à la dernière seconde. La barre vibra si fort que Laurie crut qu'elle allait tomber ; mais quand ils se réceptionnèrent et que toute la classe l'acclama, elle comprit qu'ils avaient accompli un sans-faute.

— C'est bien, mon grand ! félicita-t-elle sa monture en lui tapotant l'encolure.

— C'était incroyable ! s'écria Margaux.

— Alors, Laurie va monter Tybalt lors de la rencontre, mercredi ? demanda Mélanie en se tournant vers Mme Carmichael.

— Vous ne pouvez pas laisser un cheval aussi imprévisible participer à cette épreuve ! explosa Audrey sans laisser à l'instructrice le temps de répondre. S'il pète les plombs, qu'est-ce qu'on va penser de Chestnut Hill ?

— Tu permets, Audrey, c'est à moi de décider quels chevaux représenteront notre école, fit Mme Carmichael, la mine sévère.

Audrey ouvrit la bouche pour protester, mais Annie l'arrêta d'un geste :

— C'est ton tour, Pauline, vas-y, je te prie.

Quand tout le monde eut effectué le parcours une fois, Mme Carmichael annonça que le cours était terminé et demanda à Laurie de rester.

Dès qu'elles furent seules dans la carrière, elle se tourna vers la cavalière.

— Je souhaite que tu gardes ta place dans l'équipe pour la rencontre de mercredi. Tu as beaucoup travaillé avec Tybalt, et tu le mérites.

— Alors, vous me laisserez le monter ? s'écria Laurie, folle de joie.

— Ne t'emballe pas ! Je veux surtout voir comment il réagit au stress de la compétition. Je ne suis pas convaincue qu'il soit prêt à concourir. Enfin, comme c'est juste une rencontre amicale, nous n'avons rien à perdre.

Laurie sentit son moral s'effondrer : « Rien à perdre ? » Elle avait plutôt l'impression qu'elle risquait de tout perdre dans cette histoire. Bien sûr, il ne s'agissait que d'une simple rencontre amicale, organisée pour permettre aux équipes juniors de s'entraîner pour le championnat interscolaire, mais ce serait sa seule occasion de prouver que Tybalt était à la hauteur.

— Nous enverrons cinq chevaux, poursuivit Mme Carmichael, mais nous devons en présenter quatre seulement.

— Je ne comprends pas. Alors, je vais y participer ou pas ?

— Oui, à condition que Tybalt supporte la foule et la bousculade avant l'épreuve. Ce sera une opportunité unique de voir ses réactions sous la pression. Par contre, si tu sens que c'est trop dur pour lui, je compte sur toi pour abandonner. Inutile de courir à l'échec.

Laurie se mordit la lèvre. Elle avait espéré que Mme Carmichael déciderait dans la foulée du sort de Tybalt à Chestnut Hill. Toutefois elle comprenait ses réticences. Tybalt devait vraiment faire ses preuves. Tout dépendait donc de cette rencontre. Et, s'il venait de sauter comme un champion, peut-être réagirait-il autrement dans l'ambiance électrique d'un concours.

Elle passa sa main dans la crinière du poney tandis qu'ils quittaient la carrière. Elle croyait toujours en ses qualités de champion, mais à présent il fallait qu'il y croie, lui aussi.

# 25

Laurie pivota sur son siège pour regarder le van accroché au camion.

— C'est la dixième fois que tu te retournes, et on n'a pas fait la moitié du chemin, la taquina Margaux. En plus, on ne voit rien.

— J'ai tellement peur que Tybalt s'imagine qu'on l'emmène dans un autre foyer !

— Eh, je ne veux entendre que des paroles positives ! protesta Georges, leur chauffeur.

— Oui, vous avez raison. Je vous promets de ne plus émettre la moindre onde négative jusqu'à l'arrivée.

Laurie n'avait pas fini sa phrase qu'elle se retournait machinalement. Elle éclata de rire quand Margaux lui donna un coup de coude.

— Heureusement que Saint Kit se trouve juste à l'autre bout de la ville ! Sinon tu finirais pas avoir un torticolis, s'esclaffa son amie.

— Je n'ai jamais vu un parcours pareil ! s'écria Mélanie en se précipitant vers Mme Carmichael.

— Un vrai cauchemar ! gémit Pauline.

Le car de Chestnut Hill qui avait amené les supporters était arrivé avant les cavalières. Mélanie et Pauline en avaient profité pour aller repérer les lieux.

— Merci de ces commentaires encourageants ! lâcha Mme Carmichael. J'emmène l'équipe de ce pas, afin de reconnaître le parcours. Ça ne vous ennuie pas de rester ici avec Georges pour surveiller les chevaux ?

— Pas du tout.

Les concurrentes attachèrent les poneys au camion. Elles les avaient pansés et tressés avant de quitter Chestnut Hill ; il ne restait plus qu'à les seller.

— Voulez-vous qu'on leur mette les guêtres ? proposa Pauline.

— Oui, merci. On revient aussi vite que possible vous aider, fit Mme Carmichael.

Pendant que les cavalières de Chestnut Hill traversaient le paddock en direction de l'immense stade équestre, elles croisèrent l'équipe des juniors d'Allbrights arrivant en sens inverse, très fières dans leurs vestes bordeaux et leurs jodhpurs blancs.

— Bonjour, Élisabeth ! lança joyeusement Mme Carmichael à leur instructrice.

Laurie dévisagea la jeune femme aux cheveux auburn avec curiosité. C'était donc elle, la célèbre Élisabeth Mitchell ! Celle qui avait conduit Chestnut Hill en championnat, l'année précédente, avant de rejoindre l'école rivale. « Si elle était restée à Chestnut Hill, serais-je là aujourd'hui ? » Laurie ne saurait jamais si elle aurait appuyé sa candidature auprès de Diane Rockwell. En revanche, à en croire Audrey, elle n'aurait pas donné la moindre chance à Tybalt de participer à cette rencontre.

— Faites attention à votre allure entre les obstacles quatre et cinq, disait Mlle Mitchell à ses élèves, la distance est trompeuse.

Elle s'interrompit le temps de saluer Annie Carmichael d'un signe de tête.

Saint Kit s'enorgueillissait d'un stade équestre bien plus grand que la carrière de Chestnut Hill. Laurie constata avec satisfaction qu'il comprenait un manège d'échauffement, avec un obstacle d'entraînement.

Elles contournèrent la carrière principale jusqu'à l'entrée. Laurie s'arrêta sur le seuil. La piste de sable jaune s'étendait à perte de vue, entourée de barrières blanches fraîchement repeintes, agrémentées de jardinières de fleurs. Le stade était entouré de rangées de gradins.

Margaux donna un coup de coude à Laurie :

— Je vois ce que Mélanie voulait dire...

Laurie suivit son regard et faillit s'étrangler. Les obstacles étaient beaucoup plus imposants que ceux sur lesquels elles s'entraînaient. Elle jeta un regard vers Audrey, qui tripotait ses gants, sans rien dire pour une fois. « Si même Audrey panique, alors, moi, je suis mal ! » songea-t-elle.

— Allons, les filles, du calme ! Je ne vois rien que vous ne connaissiez déjà, les secoua Mme Carmichael.

Elle les entraîna vers le premier obstacle, installé le long du mur extérieur :

— Celui-ci ne devrait vous poser aucun problème, du moment que vous prenez assez d'élan.

Les filles opinèrent de la tête. On aurait dit qu'elles avaient perdu leur langue.

Mme Carmichael passa à l'oxer :

— Vous l'avez sauté des milliers de fois à l'entraînement. Tout ce que vous devez faire, c'est bien calculer le moment de votre appel. Si vous êtes trop près, vous accrochez la barre de devant, si vous partez de trop loin, votre poney sautera à plat et accrochera la barre de derrière avec ses postérieurs.

Elle les conduisit ensuite vers le triple.

— Shamrock déteste ça ! maugréa Olivia.

— Il faut que tu fasses en sorte qu'elle allonge ses foulées bien avant l'obstacle, lui conseilla Mme Carmichael. N'attends pas le dernier moment !

Laurie regarda la rangée de fleurs multicolores à la base de l'obstacle et nota mentalement de bien tenir Tybalt des mains et des jambes pour éviter que ces décorations ne l'effraient...

Elles allèrent ensuite vers la porte au milieu du parcours.

— Vous devez la considérer comme n'importe quel vertical. Attention, Laurie, tu as parfois tendance à en faire trop. Tu n'as pas besoin de soulever ton cheval.

La jeune fille sourit. Jusque-là, les grands verticaux lui

avaient posé quelques problèmes... Mais ce ne serait pas le cas avec Tybalt : il avait des ailes !

— Cet oxer est large. Vous devez prendre votre appel ici pour le passer, dit Mme Carmichael en pointant son pied sur le sable. Et veillez à vous tenir bien droites sur la selle pour ne pas déséquilibrer votre cheval.

Laurie essayait de tout retenir. C'était le parcours le plus difficile qu'elle ait jamais vu. Et Tybalt et elle avaient encore tout à prouver !

# 26

— Attrape !

Pauline lança à Laurie une cannette de soda. Mme Carmichael l'avait envoyée à la buvette acheter des boissons pour tout le monde.

— Tu peux me la garder un minute ? demanda Laurie en la lui remettant. Je vais échauffer Tybalt.

— Bien sûr. Tu veux qu'on vienne avec toi pour ramasser les barres ? proposa son amie. Je ne pense pas que tu vas en faire tomber, c'est juste au cas où, se reprit-elle aussitôt.

— Ce serait génial ! fit Laurie, s'efforçant d'ignorer l'angoisse qui lui nouait l'estomac.

Elle détacha Tybalt. Audrey avait insisté pour qu'il soit tenu à l'écart de Bluegrass, même s'il s'entendait bien à présent avec les autres chevaux. Son comportement asocial avait complètement disparu grâce aux conseils de Laura Fleming et à l'animation qui régnait en permanence dans leur écurie.

— Il est superbe ! s'exclama Pauline.

Laurie recula d'un pas pour contempler la robe sombre de son poney qui brillait au soleil. Sa crinière noire avait été tressée ; sa queue, nattée à la française, était attachée avec du ruban noir. Laurie avait passé des heures, la veille, à cirer sa selle, qui ressortait magnifiquement sur le tapis de selle blanc, orné à chaque coin du logo de Chestnut Hill.

Elle se retourna en entendant un sifflement admiratif et vit deux filles en veste verte qui s'extasiaient devant Tybalt.

— Il est splendide ! Tu crois que c'est un pur-sang ? Ou peut-être un warmblood...

Laurie savoura leurs commentaires en se souvenant de sa première rencontre avec le poney.

— Nerveuse ? s'enquit Éléonore en détachant Skylark.

— Tu plaisantes ? Tu as entendu ce qu'elles ont dit. Avec un physique pareil, c'est gagné d'avance, fanfaronna Laurie.

Elle se mit en selle, avec une petite pensée nostalgique pour Hardy qui manquait tout ça. Tybalt tourna la tête et lui mordilla le bout de sa botte. Elle sourit : oui, elle aurait eu moins d'angoisses avec Hardy, mais elle ne regrettait pas une seule seconde de monter Tybalt aujourd'hui.

— Allez, mon grand !

Une activité intense régnait dans le champ, derrière la carrière, où étaient garés les camions. Les membres des différentes équipes se mettaient en selle pour aller s'échauffer. Laurie pensa à Caleb et se tourna machinalement vers les magnifiques bâtiments couverts de lierre.

— Tu cherches quelqu'un ? la taquina Margaux en arrivant à sa hauteur sur Morello.

— Hein ?

— Caleb ne ferait-il pas partie de l'équipe de Saint Kit, par hasard ?

— Je n'en sais rien. Et je ne vois pas pourquoi je le chercherais, vu qu'il sort avec une autre !

Cinq autres équipes participaient à la rencontre, et même si Mme Carmichael leur avait dit et redit qu'il s'agissait d'une compétition amicale, l'atmosphère était tendue. Les mêmes équipes devant s'affronter en championnat interscolaire, cette rencontre représentait un test, qu'on le veuille ou non.

Laurie aperçut l'équipe des Allbrights rassemblée au fond du champ.

— Elles ont l'air excellentes, murmura-t-elle alors que deux d'entre elles se lançaient côte à côte dans un galop parfaitement synchronisé.

— Comme nous, rétorqua Margaux.

Laurie sursauta en apercevant Patty, qui se tenait près de l'entrée du stade, alors qu'elle aurait dû se trouver dans les gradins avec les supporters de Chestnut Hill. Elle semblait tout à fait déplacée, avec sa jupe Versace et son petit pull en cachemire.

— Je parie qu'elle attend un certain cavalier de Saint

Kit, ricana Margaux, qui avait suivi son regard. Ce qui veut dire que Caleb fait bien partie de l'équipe.

Laurie éprouva un pincement au cœur en imaginant Caleb avec Patty. Elle essaya de se consoler en pensant combien il devait être content d'avoir été sélectionné, lui qui rêvait de représenter son école. Et comme elle, de son côté, représentait Chestnut Hill, ils allaient concourir l'un contre l'autre !

Les cavaliers faisaient la queue à l'intérieur du manège d'échauffement pour sauter l'obstacle. Deux garçons de Saint Kit, vêtus de la veste jaune de commissaire, se tenaient de chaque côté, prêts à ramasser les barres.

Laurie ne se mit pas derrière les autres. Elle préférait que Tybalt reste à l'écart. Il se sentait à l'aise avec ses compagnons d'écurie, mais elle ne voulait pas lui faire subir inutilement une tension supplémentaire.

Elle le conduisit donc vers un coin tranquille et lui fit exécuter un grand huit, tout en surveillant l'obstacle d'entraînement du coin de l'œil. Dès qu'elle vit qu'il était libre, elle mit Tybalt au galop et fonça vers les barres, qu'ils franchirent largement.

— Il a l'air en forme ! lui lança Pauline quand elle revint vers son équipe.

— Espérons que ça va durer, répondit Laurie.

Éléonore s'approcha d'elle sur Skylark, qui s'ébroua, cambrant l'encolure et donnant des coups de queue, visiblement ravie de toute cette animation. C'était une des raisons pour lesquelles la ponette se distinguait toujours en compétition : elle adorait les concours.

Laurie regarda les autres poneys, tous plus beaux les uns que les autres. Olivia réussissait à tenir Shamrock immobile, ce qui n'était pas évident, car la jument gris-bleu était réputée comme l'une des montures le plus fougueuses de Chestnut Hill. Bluegrass, fidèle à lui-même, jouait les poneys modèles. Il mordillait distraitement son mors pendant qu'Audrey jaugeait ses adversaires.

Laurie sentit Tybalt s'agiter. Elle regarda autour d'elle : la plupart des cavaliers se rassemblaient autour de leurs instructeurs, et le terrain d'échauffement était libre. Elle raccourcit ses rênes et dirigea son poney sur l'obstacle une seconde fois, espérant ainsi le calmer. Mais il s'élança trop tôt et fit un bond énorme pour compenser. Déséquilibrée, Laurie se raccrocha à sa crinière à la réception. Dès qu'il sentit les rênes se relâcher, il bondit en avant.

Laurie s'empressa de retendre les rênes pour le freiner, mais le poney, incontrôlable, fit un écart et coupa la trajectoire d'un cheval gris. Affolé, il coucha ses oreilles en arrière, poussa un cri et rua vers son congénère.

— Du calme ! cria Laurie, le sentant prêt à s'emballer.

Tandis que le cavalier essayait d'écarter sa monture, Tybalt se cabra. Laurie transféra son poids vers l'avant et attendit qu'il redescende. Elle eut l'impression de rester ainsi suspendue en l'air une éternité. Elle vit l'autre cavalier sauter à terre et attraper Tybalt par la bride.

— Doucement, là, doucement !

Tybalt reposa ses antérieurs sur le sable, tremblant de tous ses membres. Quand Laurie lui caressa l'encolure, elle constata qu'il se mettait à transpirer.

— Ça va ? lui demanda le cavalier, ses grands yeux bleus pleins d'inquiétude.

Elle se sentit rougir comme une tomate sous sa bombe. Pourquoi fallait-il toujours qu'elle tombe sur Caleb au plus mauvais moment ?

— Oh, c'est toi !... Je... je suis désolée. Ce poney est parfois imprévisible avec les autres chevaux, bafouilla-t-elle, rassurée de voir qu'un des commissaires retenait le cheval du garçon à quelques mètres de là. Il a encore beaucoup de choses à apprendre.

Mme Carmichael vint les rejoindre en courant, très inquiète.

— Que s'est-il passé ?

— Il a fait un saut trop long et ensuite il a failli percuter un autre cheval. Et, là, il a paniqué.

— Si tu vas bien, je ferais mieux de rejoindre ma monture, fit Caleb avec un bref sourire.

— Bien sûr. Merci.

Mme Carmichael fronça les sourcils :

— Tu veux toujours faire le parcours ?

— Absolument, répondit Laurie, le cœur battant la chamade.

Elle n'allait pas rater cette occasion unique de montrer que Tybalt méritait sa place dans l'écurie et dans l'équipe de Chestnut Hill ! En plus, comme l'épreuve ne comptait pas pour le championnat, c'était un peu moins stressant.

— Il me semble encore très nerveux, mais tu le connais mieux que quiconque, soupira Annie en passant la main sur l'épaule du poney. Enfin, je compte sur toi pour abandonner si jamais tu as le moindre doute. Il nous restera toujours quatre cavalières.

Laurie hocha la tête tandis que Mme Carmichael ramenait Tybalt vers le reste de l'équipe. Elle voyait que ses naseaux se dilataient encore à chaque respiration. Il s'ébroua et se mit à gratter le sol du sabot.

— Génial, il va encore péter les plombs ! s'écria Audrey en écartant Bluegrass.

Lorsque Laurie entendit appeler son nom, la tête lui tourna.

— Bonne chance ! lui lança Mme Carmichael.

— Vas-y, Laurie ! l'encouragèrent Olivia et Éléonore.

Elle resserra la jugulaire de sa bombe et avança vers les portes massives. Tybalt tira sur ses rênes, gagné par sa nervosité.

— Bonne chance ! dit Margaux qui se tenait près de l'entrée, montée sur Morello.

Trop angoissée pour répondre, Laurie toucha l'écusson de l'école brodé sur sa veste pour se porter chance et raccourcit ses rênes. Tandis qu'ils s'avançaient au trot vers le centre de la piste, elle s'efforça d'oublier les gradins bondés de monde. « Ne pense qu'à Tybalt », se dit-elle en mettant le poney au galop.

Elle sentit aussitôt que sa foulée était saccadée, et s'aperçut qu'elle était à la mauvaise main. Elle lui fit faire un cercle et franchit la ligne de départ.

Tybalt semblait aller au ralenti alors qu'ils abordaient le premier obstacle. Soudain, tout défila en accéléré : il s'envolait avec aisance par-dessus le vertical.

Pas de faute ! Laurie dut retenir le poney qui se précipitait sur l'oxer. Il balançait la tête, refusant de suivre ses indications. « Fais-moi confiance ! » le supplia-t-elle intérieurement, relâchant puis tendant les rênes pour attirer son attention. Tybalt prit son appel trop tard, et le public poussa un gémissement quand la barre tomba sur le sable. Le bruit perturba Tybalt. Il secoua la tête, faisant vaciller sa cavalière dans la selle.

Elle devait le calmer à tout prix ! Elle le fit passer au galop à côté du cinquième obstacle, essayant de garder ses mains et ses jambes immobiles. Après avoir effectué un cercle complet, elle le ramena sur l'obstacle. Il prit son élan avec puissance et se réceptionna sur une longue foulée. Laurie tenta en vain de le ralentir. Ils n'étaient plus qu'à quatre foulées de l'obstacle suivant, et s'ils continuaient à cette allure Tybalt allait le renverser. Et il n'était pas question de prendre le risque qu'il se blesse juste pour prouver qu'elle avait raison de croire en lui. Elle tira sur la rêne droite ; il évita l'obstacle, réduisit l'allure et baissa la tête.

Laurie se mordit la lèvre. Elle devait se rendre à l'évidence : Tybalt n'était pas encore prêt à faire partie de l'équipe. Cependant elle ne voulait pas finir son parcours sur une note aussi désastreuse ; alors elle le conduisit vers le premier vertical. Avec un grognement, Tybalt s'élança et atterrit en beauté de l'autre côté. Laurie le ramena au trot en lui faisant décrire un dernier cercle. Malgré les acclamations de la foule, elle se sentait étouffée par le chagrin. Non seulement elle s'était montrée indigne de Mme Carmichael et de son équipe, mais surtout, et c'était le pire, Tybalt venait de perdre sa dernière chance de se racheter !

# 27

Laurie trotta jusqu'au paddock d'échauffement et passa sans s'arrêter devant Margaux et Mme Carmichael. Elle ne se sentait pas le courage de leur parler.

Audrey lui bloqua la route, la forçant à reculer.

— Félicitations ! siffla-t-elle. Tu as raté deux obstacles. Quand te décideras-tu à nous faire une démonstration de cet incroyable talent qui t'a permis de décrocher la bourse Rockwell ?

Laurie regardait droit devant elle, bien déterminée à ne pas répondre à la provocation.

— Pour commencer, ce poney n'avait rien à faire ici, poursuivit Audrey d'un ton aigre. Et tu aurais dû le savoir mieux que personne !

— Arrête, Audrey ! s'exclama Margaux, volant à la rescousse de son amie. Je te rappelle que nous sommes censées former une équipe, ce qui veut dire que nous devons nous soutenir quoi qu'il arrive. Aucune d'entre nous ne t'a jamais fait la moindre réflexion sur les entraînements que tu as manqués pour aller jouer au hockey !

— C'est parce que vous savez que j'assure en compétition ! Et la boursière devrait assurer, elle aussi. Eh bien, non ! Au lieu de cela, mademoiselle préfère monter un poney minable juste parce qu'elle l'a pris en pitié !

Laurie ne trouva rien à lui répondre. Ce n'était pas de la pitié qu'elle éprouvait pour Tybalt. Elle croyait en lui. Mais où cela les avait-il conduits ?

Elle tira sur sa rêne gauche et contourna Bluegrass.

Mme Carmichael apparut alors à son côté :

— Bon travail, Laurie ! Qui aurait pu imaginer que tu n'avais eu que quelques jours d'entraînement avec Tybalt ? Et encore moins qu'il refusait de trotter il y a à peine une semaine.

Laurie tressaillit : Mme Carmichael voulait remuer le couteau dans la plaie ou quoi ? Comment pouvait-elle la féliciter après un échec pareil ?

L'instructrice se pencha pour caresser l'encolure moite du hongre :

— Je sais que tu es déçue par la façon dont il s'est comporté. Il a encore de sérieux problèmes de communication. Mais tu l'as monté comme il fallait. Tu as su te montrer tout à la fois ferme et compréhensive.

Laurie se mordilla la lèvre. Ce n'était pas ce qu'elle souhaitait entendre. C'était génial que Mme Carmichael soit contente d'elle, mais elle aurait préféré qu'elle le soit de Tybalt.

— Peut-être que si j'étais partie plus lentement, il aurait mieux réagi. Ou peut-être que je l'ai mal compris.

— Qu'est-ce que tu racontes ? Tu en as tiré le maximum, surtout après l'incident à l'obstacle d'échauffement. Et tu lui as donné tout ce que tu pouvais. Maintenant, ce qu'il lui faut, c'est du temps. Il manque d'expérience. Avec un peu d'entraînement, il saura quoi faire. C'est évident qu'il a confiance en toi.

Annie Carmichael fixa la jeune fille jusqu'à ce qu'elle croise son regard.

— Tu sais, Diane Rockwell ne t'a pas accordé ta bourse pour les rosettes bleues que tu as gagnées, mais pour la qualité de ton contact avec les chevaux. Elle a tablé sur ton instinct, et elle serait très fière de ce que tu as obtenu de ce poney, conclut-elle en frottant le bout du nez de Tybalt.

— J'ai quand même tout gâché ! soupira Laurie. C'est vrai, je n'aurais jamais dû l'embarquer dans cette épreuve ! Mais quelle importance ? Sa période d'essai touche à sa fin.

Mme Carmichael lui mit la main sur l'épaule.

— La saison n'a pas encore commencé. On reparlera de Tybalt plus tard, d'accord ?

Tandis qu'elle s'éloignait, Laurie déchaussa ses étriers et sauta à terre. Elle s'appuya contre le flanc de Tybalt et sentit sa chaleur et sa solidité. « Oh, Tybalt ! » Dire adieu à Zanzibar avait été horrible, mais ce n'était rien à côté de la peine qu'elle éprouvait à présent, surtout qu'elle s'estimait totalement responsable de cet échec. Si elle n'avait pas sauté l'obstacle d'échauffement et si elle n'avait pas failli percuter Caleb, ils n'en seraient pas là.

Elle fit glisser les rênes par-dessus la tête de Tybalt et desserra sa bride avant de le ramener vers les autres. Elle était entièrement d'accord avec ce que Margaux avait dit sur l'esprit d'équipe, et ne pouvait donc se permettre de bouder dans son coin, même si elle était exclue de la compétition.

— Olivia, ça sera à toi ! lança Mme Carmichael.

Olivia acquiesça et raccourcit ses rênes. En entendant son nom annoncé par les haut-parleurs, elle sourit d'un petit air crispé :

— Souhaitez-moi bonne chance.

— Bonne chance ! cria Laurie avec les autres tandis que Shamrock trottait vers l'entrée.

Margaux fit avancer Morello vers son amie. Le hongre paint était magnifique avec ses taches d'un blanc aveuglant.

— Ça va ? Tu l'as drôlement bien tenu, tu sais ! J'ai cru qu'il allait disjoncter, mais tu as réussi à le retenir.

— Merci ! Je me suis quand même bien plantée.

— Ce n'est pas l'impression que j'ai eue. Ce poney saute à merveille. Je pense que tu vas faire de lui un cheval de rêve en quelques semaines.

— J'ai bien peur que Mme Carmichael ne nous en laisse pas le temps ! soupira Laurie.

Elle baissa les yeux et tripota son gant, soulagée que Margaux n'insiste pas.

Leur attention fut attirée par Olivia, qui revenait de la piste. Laurie tendit l'oreille pour entendre les résultats par-dessus les applaudissements de l'assistance.

— Un sans-faute pour Chestnut Hill avec Olivia Buckwell sur Shamrock, annonça le haut-parleur.

Elle poussa un cri de joie, ravie pour Olivia.

On appela ensuite Kathleen Orwen, de Wycliffe Academy. Une fille montée sur un palomino passa devant Laurie, l'air très déterminé.

Trois cavaliers plus tard arriva le tour d'Audrey. « Avec elle, le sans-faute est assuré », songea Laurie tandis que Margaux et Éléonore partaient faire trotter Morello et Skylark afin qu'ils restent concentrés.

Lorsque Audrey quitta le parcours quelques minutes plus tard, les filles s'arrêtèrent pour écouter l'annonce.

— Audrey Harrison, sur Bluegrass, pour Chestnut Hill, six fautes.

Laurie échangea un regard étonné avec Margaux, se demandant si elle n'avait pas mal entendu. Mais quand elle vit le visage livide d'Audrey, elle comprit que tout reposait maintenant sur Margaux et Éléonore.

— Qu'est-ce qui s'est passé ? lança Éléonore alors qu'Audrey s'approchait d'elle.

— Il s'est passé que j'ai pris vingt-quatre points ! rétorqua Audrey d'un ton sec.

L'équipe d'Allbrights menait donc avec deux parcours sans faute. C'était au tour d'Éléonore.

— Tout ira bien, répétait Olivia à qui voulait l'entendre.

Mais Laurie avait remarqué que les doigts d'Éléonore étaient si crispés sur les rênes qu'ils en étaient blancs aux articulations.

Un gémissement monta du public. Une minute plus tard, Éléonore ressortait de la piste en secouant la tête :

— J'ai complètement raté la combinaison !

« Pourvu que Margaux fasse un sans-faute ! pensa Laurie, l'estomac retourné. C'est notre dernière chance. »

En principe, les points de Margaux, qui était cavalière de réserve, ne devaient pas être comptabilisés, sauf si son score était meilleur que celui de l'une de ses coéquipières. Et à présent que Laurie était hors jeu, ses points allaient être pris en compte.

Tybalt, gagné par la nervosité de sa cavalière, se mit à gratter le sol.

— Du calme, murmura Laurie en caressant son encolure.

Lorsqu'on appela le nom de Margaux, elle l'accompagna jusqu'à l'entrée, où elle lui souhaita bonne chance.

Elle posa la main sur l'encolure de Tybalt, espérant qu'il resterait tranquille, et regarda son amie effectuer un cercle au galop. Morello sauta le premier obstacle avec aisance et tendit les oreilles en avant tandis qu'il attaquait le suivant.

Sa cavalière lui fit franchir l'oxer, puis elle le dirigea d'une main ferme vers le triple. Laurie croisa les doigts : « Concentre-toi sur la barre centrale ! » Margaux devait se souvenir du conseil de Mme Carmichael car Morello s'élança juste au bon moment. Quand arriva la porte,

Laurie eut l'impression que l'attention de Morello se relâchait. Il dévia légèrement de la ligne d'approche prise par Margaux. Celle-ci le corrigea en utilisant sa jambe gauche. Laurie retint son souffle... Il avala le vertical largement.

L'obstacle suivant était un spa, qui se trouvait juste après un virage serré, ce que Morello détestait. Il commença par s'écarter de l'obstacle, et Laurie vit son amie se caler sur la selle pour le maintenir sur la trajectoire. Il sauta à temps, mais pas assez haut, faisant chuter la barre. « Allez, Margaux ! Aide-le à se reconcentrer ! »

Morello fit un bond énorme au-dessus de l'obstacle suivant avant de se précipiter vers la combinaison.

— Trop vite, murmura Laurie en crispant les mains sur ses rênes.

Margaux marqua un demi-arrêt, puis le hongre s'élança vers le premier obstacle de la combinaison. Ils se réceptionnèrent parfaitement et s'envolèrent au-dessus du second. Puis ils galopèrent vers la ligne d'arrivée. « Seulement quatre points de pénalité ! » pensa Laurie.

— Bravo, Margaux ! hurla-t-elle.

Elle aurait sauté de joie si elle n'avait pas craint d'effrayer Tybalt. Même s'il restait un grand écart entre Chestnut Hill et les gagnantes, c'était fantastique que Margaux ait accompli une telle performance. Elle avait réussi à remonter le moral de toute l'équipe !

Après avoir remis les poneys dans le van, Laurie et Margaux allèrent rejoindre Pauline et Mélanie pour assister à la fin de la compétition. L'équipe des Allbrights avait désormais trop d'avance pour risquer d'être rattrapée. Wycliffe et Saint Kit se battaient pour la deuxième place ; Chestnut Hill n'était même plus en course pour la quatrième, car l'institution des Trois Tours la menait de deux points.

Quand elles prirent place dans les gradins, un représentant de Wycliffe quittait la carrière sur un magnifique hongre noir. La clameur de ses supporters parut ridicule à côté de l'ovation qui accueillit le cavalier suivant.

« Et voici notre dernier concurrent, Caleb Meadows, qui monte Pageant's Pride pour Saint Kit », annoncèrent les haut-parleurs.

Se penchant pour mieux le voir, Laurie s'aperçut qu'elle avait le trac pour lui. Il avait beau sortir avec Patty, elle lui souhaitait du fond du cœur de réussir.

— S'il fait un sans-faute, Saint Kit sera deuxième, murmura Pauline.

— Dites, les filles, il ne vous rappelle pas quelqu'un ? chuchota Mélanie alors que le cheval gris s'envolait au-dessus du vertical et s'élançait vers l'obstacle suivant.

— J'ai trouvé ! s'exclama Pauline. C'est incroyable !

— Qui ça ? demanda Laurie à voix basse, sans détacher les yeux du cavalier et de sa monture.

— Toi ! répondit Mélanie.

— Elle a raison ! souffla Margaux. Regarde sa façon de s'asseoir et de tenir ses mains. Et une fois que son cheval est lancé, il n'intervient plus. Je suppose que c'est parce que vous avez eu le même entraîneur.

— Eh bien, j'espère qu'il ne va pas abandonner comme moi, bredouilla Laurie, embarrassée par cette comparaison flatteuse.

Le cheval gris fit un bond fantastique au-dessus du vertical ; mais, en redescendant, il heurta la barre de ses postérieurs et la fit tomber. Les supporters de Saint Kit poussèrent un cri de déception.

— Oh, non ! gémit Mélanie. Les revoilà *ex æquo* avec Wycliffe !

Laurie ne quittait pas Caleb des yeux. Après le large, le cavalier et sa monture semblèrent avoir trouvé leur rythme.

Elle retint sa respiration tandis qu'ils galopaient vers la combinaison. Elle espérait tellement les voir finir le parcours sans commettre une autre faute ! Le cheval gris dressa les oreilles et passa facilement le premier obstacle. Puis il effectua un saut de puce parfait, qui lui permit de franchir le second d'un bond puissant et arrondi.

Caleb tapota l'encolure de sa monture sous un tonnerre d'applaudissements. Il venait d'assurer une seconde place *ex æquo* à Saint Kit !

Le stade retentit de hurlements de loup et d'acclamations, et Laurie se sentit gagnée par l'allégresse générale.

« La prochaine fois, songea-t-elle en prenant des mains de Mélanie une extrémité de la banderole de Chestnut Hill pour l'agiter dans les airs... la prochaine fois, c'est nous qu'on acclamera ! »

# 28

Laurie balaya des yeux la cour fermée dans laquelle Saint Kit avait installé un buffet en plein air pour les équipes. Des tables chargées de plats s'alignaient le long d'un mur : au centre, près d'une magnifique fontaine, était servi un délicieux chocolat chaud. Laurie avait quitté ses amies pour aller chercher une deuxième part de cheese-cake, et elle n'arrivait plus à les retrouver dans la cohue. C'est alors que Mme Carmichael surgit à côté d'elle :

— Laurie !

La jeune fille sentit son cœur se serrer, mais elle se força à sourire. Elle avait beau essayer d'oublier son échec, elle devait regarder la vérité en face. « Ça y est, elle va me dire qu'il est temps de rendre Tybalt. »

— Je préfère aller droit au but pour ne pas t'empêcher trop longtemps de profiter de cette fête, commença Mme Carmichael.

Laurie hocha la tête.

— Voilà, j'ai décidé de demander à M. Ryan de prolonger la période d'essai de Tybalt. Tu as déjà fait des merveilles avec lui, et je veux te donner une chance de finir ce que tu as commencé. Après son saut incroyable sur le parcours d'échauffement, j'ai hâte de voir ce qu'il nous réserve. Surtout qu'il nous faut un autre poney pour l'équipe...

Laurie la dévisagea, médusée.

— Hou-hou ! Tu as entendu ce que j'ai dit ? Tu veux bien continuer à entraîner Tybalt ?

— Oui... euh... oui, oui, bien sûr ! bégaya Laurie, se retenant de sauter au cou de l'instructrice.

Tybalt avait droit à une nouvelle chance ! Et elle aussi !

— Très bien, alors nous appellerons M. Ryan dès demain, conclut Annie Carmichael, une lueur espiègle dans les yeux. En attendant, amuse-toi bien.

Laurie se retournait pour chercher ses amies, impatiente de leur annoncer cette nouvelle, lorsqu'on lui tapa sur l'épaule. Elle pivota brusquement et fit gicler son chocolat sur le torse du garçon qui se tenait devant elle.

— Désolée ! souffla-t-elle en regardant fixement les gouttes qui dégoulinaient sur sa veste.

Levant la tête, elle vit les yeux bleus de sa victime et sentit ses joues s'enflammer.

— Caleb !

Elle s'empressa d'essuyer le chocolat avec sa manche, et ne parvint qu'à l'étaler.

— Ce n'est pas grave, dit-il, un peu déconcerté, lui aussi. Elle avait déjà mérité le lavage.

Ne sachant que lui répondre, Laurie but une gorgée de chocolat.

— Je voulais juste te dire que tu t'en étais super bien sortie tout à l'heure, reprit Caleb. Je suis épaté ! Ton poney était très nerveux, mais tu l'as mené comme un chef ! On sentait qu'il y avait un sacré lien entre vous.

— C'est gentil, lâcha Laurie, touchée. Oui, c'est un poney génial ! Mais il a encore quelques problèmes à régler...

Et, soudain, elle lui raconta toute l'histoire de Tybalt, depuis l'instant où elle l'avait trouvé tapi au fond de son box, jusqu'au moment où elle avait appliqué la technique du consentement. Non pas pour justifier le comportement du poney sur la piste, mais parce qu'elle savait que ça intéresserait Caleb.

— Tu as pratiqué la technique du consentement avec Laura Fleming ? répéta-t-il en écarquillant les yeux.

— Je sais, je n'arrive pas à le croire non plus !

— Waouh ! J'ai adoré sa conférence...

Ils furent brutalement interrompus par l'arrivée de Patty, qui glissa un bras possessif sous celui du garçon sans le moindre regard pour Laurie.

— Eh bien, il serait temps que j'aille voir Tybalt, conclut celle-ci, résistant à une terrible envie de jeter le reste de son chocolat sur le pull en cachemire de Patty.

— Attends ! protesta Caleb.

Mais Laurie, faisant mine de ne pas avoir entendu, fonça vers la sortie et ne ralentit le pas qu'une fois arrivée au paddock. Elle avait ressassé leur conversation, et n'y avait pas trouvé le moindre mot qui pût donner à penser que Caleb était plus qu'un ami à ses yeux. Car c'était véritablement un ami. Il avait été si facile de lui parler, et il s'intéressait tellement à Tybalt ! Hélas, vu la façon dont Patty l'avait rappelé à l'ordre, elle n'était pas près de le revoir...

Margaux surgit de derrière le van :

— Ah, Laurie ! Où étais-tu passée ? Pauline et Mélanie doivent te chercher sous le buffet à l'heure qu'il est !

Laurie sourit :

— Je venais juste annoncer la bonne nouvelle à Tybalt.

— Quoi ?

Margaux lui agrippa le bras :

— On le garde ?

— C'est presque sûr ! s'écria Laurie avant de lui répéter sa conversation avec Mme Carmichael.

— Super ! s'exclama Margaux. Sauf que tu vas sans doute vouloir dormir dans son box pour te rapprocher encore plus de lui...

Elle éclata de rire alors que son amie faisait mine de la taper.

— Tiens, tu me donnes une idée ! lâcha-t-elle.

Elle s'avança vers Tybalt, attaché entre Skylark et Shamrock.

— Salut, beau mec ! Je t'ai apporté un petit cadeau, dit-elle en lui tendant le morceau de brownie. Surtout pas un mot à Mme Carmichael !

Tybalt happa le gâteau sur sa paume, et ferma à demi les yeux tandis qu'elle lui frottait le front.

— Tu restes, lui murmura-t-elle à l'oreille. On a réussi ! Tu restes !

Margaux et Laurie slalomèrent entre les vans pour regagner la cour où avait lieu la réception.

— Où veux-tu qu'on cherche Pauline et Mélanie ? Dans les carrières ou à l'écurie ?

— À l'écurie, répondit Laurie.

Le peu qu'elle en avait entrevu lui avait paru fabuleux, et elle mourait d'envie de l'admirer de plus près.

C'était une véritable écurie modèle, avec son joli toit de tuiles rouges et ses stalles spacieuses, équipées d'abreuvoirs automatiques. Laurie reconnut le magnifique cheval gris de Caleb qui regardait par-dessus le portillon le plus proche. Elle s'avança pour lui dire bonjour. Le cheval recula au fond de son box et tira sur son filet à foin. Elle appuya les coudes sur la porte pour l'admirer.

— Un warmblood hollandais ? demanda Margaux, qui l'avait suivie.

— Oui, je crois, fit Laurie en se remémorant son saut spectaculaire.

Elles se regardèrent en entendant une dispute éclater dans la sellerie, de l'autre côté de l'allée.

— On dirait que c'est Patty ! chuchota Margaux.

Laurie inclina la tête pour mieux entendre.

— En tout cas, je trouve que, pour de simples copains, vous aviez beaucoup de choses à vous raconter ! criait leur camarade.

— Écoute, Patty ! Nous avons juste parlé. Moi, je ne me permettrais jamais de juger tes fréquentations ! Pourtant il y aurait de quoi redire !

Laurie sentit son cœur s'accélérer en reconnaissant la voix de Caleb. Elle regarda Margaux, qui mit un doigt sur ses lèvres.

— Qu'est-ce que tu essaies d'insinuer ? riposta Patty.

— Eh bien, c'est peut-être juste un bruit qui court, mais il paraît que c'est Audrey qui a dénoncé Margaux, le soir où elle avait monté Morello en cachette.

Margaux agrippa le bras de Laurie. Toutes les deux se demandaient d'où Caleb tenait cette information.

— Ce n'est pas Audrey qui l'a dénoncée ! déclara Patty.

— Ben voyons ! répondit Caleb d'un ton ironique.

— Non, c'est moi ! C'est moi qui ai prévenu notre surveillante.

Il y eut un lourd silence. Laurie et Margaux se dévisagèrent, bouche bée.

— Et pourquoi tu as fait ça ? demanda Caleb en détachant chaque mot.

— Pour venger Audrey ! Margaux ne peut pas la souffrir, et il n'y a aucune raison. Elle l'a bien cherché ! Audrey ne lui a jamais rien fait.

— C'est pour ça que tu as fait une telle chose ? s'exclama Caleb d'une voix glaciale. Tu as une bien curieuse conception de la loyauté, Patty !

Les deux jeunes filles se plaquèrent contre le mur en entendant des bruits de pas se rapprocher de la porte.

— Où vas-tu ? cria Patty.

— Je retourne à la fête. J'ai envie de me retrouver avec de vrais amis.

Caleb surgit dans l'allée, rouge de colère. Il écarquilla les yeux en voyant Laurie, qui aurait voulu disparaître sous terre.

— Salut, Caleb. On... on était juste venues admirer ton cheval, bafouilla-t-elle.

— Il s'appelle Pageant's Pride, répondit le garçon avec un petit sourire, mais on l'appelle Gent.

— Gent, comme gentleman ? demanda Margaux, les yeux toujours dirigés vers la sellerie.

Caleb la regarda d'un drôle d'air :

— Oui, sans doute.

Il s'écarta lorsque Patty sortit de la sellerie à son tour, les yeux baissés.

Elle pâlit en voyant ses camarades.

— Vous avez tout entendu ? murmura-t-elle dans un souffle.

— Tout, répondit Margaux en croisant les bras.

Patty se mordit la lèvre et courut vers la cour sans demander son reste.

— Je devrais la suivre... dit Caleb, l'air gêné.

Laurie hocha la tête et se retourna vers Pageant's Pride. Elle était contente que Caleb ne laisse pas tomber sa petite amie : elle devait se sentir affreusement mal.

— Tiens, voilà Pauline et Mélanie ! entendit-elle murmurer Margaux d'un ton de conspirateur. Quelle synchronisation ! Elles ne vont jamais croire ce qu'on vient d'apprendre ! On t'attend dehors.

Laurie releva la tête et s'aperçut avec surprise que Caleb était toujours là.

— Dis donc, commença-t-il en suivant le contour des pavés de la pointe de sa botte. Je me demandais si on ne pourrait pas se retrouver un de ces jours pour... euh... pour aller boire un café ensemble. Après Thanksgiving, peut-être ? J'aimerais beaucoup que tu me racontes en détail tout ce que tu as fait avec Tybalt.

— Je... je ne suis pas sûre que...

— Si tu t'inquiètes à cause de Patty, y a pas de souci. On ne s'est jamais bien entendus. On n'avait rien à se dire.

Laurie sourit : avec elle, il n'aurait pas ce problème...

— Alors, c'est d'accord ? s'écria Caleb.

— C'est d'accord ! répondit-elle, le cœur battant la chamade.

— Je te retrouve tout à l'heure pour qu'on échange nos numéros de téléphone, et tout ça.

— Oui. Eh bien, à plus tard.

Elle le regarda traverser la cour à grands pas, puis alla rejoindre ses amies qui faisaient semblant d'observer les chevaux avec un grand intérêt.

— Alors ? lui demanda Margaux.

— Il m'a invitée à prendre un café.

— C'est un rendez-vous ! hurlèrent Margaux et Mélanie à l'unisson.

— Mais non, c'est juste un café, je vous dis.

— Laurie, réveille-toi ! Un café, c'est le code international pour désigner un rendez-vous, lui expliqua patiemment Pauline.

— Il est vraiment craquant ! Il n'aurait pas des copains libres, par hasard ? demanda Mélanie.

— Oui, juste trois comme lui, plaisanta Margaux.

— Qu'est-ce que vous allez imaginer ! protesta Laurie en riant. Enfin, on verra bien après Thanksgiving.

Pauline retrouva brusquement son sérieux :

— Attendez ! Comment on va faire pendant les vacances ? On ne va pas se voir pendant une semaine, vous vous rendez compte ?

Laurie acquiesça. Les vacances commençaient dans trois jours. Elle était ravie de rentrer chez elle retrouver son père, mais elle aurait du mal à quitter Chestnut Hill, elle aussi.

Margaux poussa un énorme soupir :

— Je me consolerai en me gavant de délicieux petits plats de ma mère.

Laurie se remémora le Thanksgiving de l'année précédente, le premier sans sa mère. Comment aurait-elle pu imaginer alors qu'elle serait aussi heureuse à peine un an plus tard ? Ses amies l'avaient tellement soutenue ces derniers mois qu'elle avait repris goût à la vie. Comme Tybalt.

— J'ai une idée ! s'exclama Pauline alors qu'elles revenaient vers le van de Chestnut Hill. Si on se promettait d'avoir une petite pensée les unes pour les autres pendant le dîner de Thanksgiving ?

— Oh, oui ! Ça sera super, de penser à nous toutes en même temps, fit Mélanie.

— À nous ! s'écrièrent-elles en chœur en levant des verres imaginaires.

Laurie croisa le regard de Margaux et sourit : « À nous quatre, comme les trois mousquetaires ! »

Quand elles eurent rejoint le van de Chestnut Hill, où les poneys somnolaient, Tybalt tourna la tête au son de leurs voix et poussa un petit hennissement en reconnaissant Laurie. Elle frotta son visage contre l'encolure du cheval, émue :

— Vivement la fin des vacances ! On va bien s'amuser tous les deux, tu vas voir !

Et cette fois, loin de s'imaginer en train de remporter des compétitions avec Tybalt, elle se vit travaillant, jour après jour, au manège à consolider le lien qu'elle avait tissé avec lui grâce à Laura Fleming et à sa technique du consentement.

Elle lui gratouilla le front et il ferma les yeux de plaisir.

— Alors, qu'est-ce que tu attends ? lui demanda Margaux, la tirant de ses pensées.

— Qu'est-ce que tu veux dire ?

— Voyons, dit Mélanie en lui prenant le bras. Si j'ai bien compris, Mlle O'Neil doit échanger certains numéros avec un certain élève de Saint Kit. Et, une fois cette affaire réglée, il sera temps de montrer à l'équipe d'Allbrights que nous, les filles de Chestnut Hill, nous savons nous amuser, même quand nous ne sommes pas les premières !

Tandis qu'elles traversaient le champ, Laurie regarda ses amies en souriant malgré elle.

« Nous, les filles de Chestnut Hill. » Ça sonnait super bien !

Cet ouvrage a été imprimé en France par

à Saint-Amand-Montrond (Cher)
en mars 2009

Cet ouvrage a été composé par
PCA - 44400 REZÉ

**12, avenue d'Italie**

**75627 PARIS Cedex 13**

— N° d'imp. 090506/1. —
Dépôt légal : avril 2009.